Hija

Ana María Shua

Hija

emecé

Shua, Ana María
    Hija / Ana María Shua. - 2a ed . - Ciudad Autónoma de Buenos
Aires : Emecé, 2016.
    256 p. ; 23 x 13 cm.

    ISBN 978-950-04-3826-1

    1. Narrativa Argentina Contemporánea. I. Título.
    CDD A863

Diseño de cubierta:
Departamento de Arte de Grupo Editorial Planeta S.A.I.C.

2ª edición: septiembre de 2016
1.500 ejemplares

Impreso en Gráfica TXT S.A.,
Pavón 3421, Ciudad Autónoma de Buenos Aires,
en el mes de septiembre de 2016.

Esta novela incluye el diario de su construcción, tal vez interesante pero no necesario.

Está impreso en una letra diferente para que el lector ejerza con más comodidad su derecho a no leerlo.

En el barco

El barco era grande como la muerte. Desde el puerto, desde cerca, desde abajo, lo que más impresionaba era la altura desmesurada del casco. Esmé abrazó otra vez a sus padres deseando que se fueran por fin para empezar a recorrerlo, acortar el trance de la despedida. Guido estaba fascinado con el camarote. La estudiada perfección de los muebles mínimos y necesarios, las cuchetas rebatibles, la puerta del baño que se convertía en la puerta del placard, los encastres. Les hubiera gustado tener un ojo de buey, pero el camarote estaba debajo de la línea de flotación.

Ramiro, el otro redactor de la agencia de publicidad en la que trabajaba Esmé, llegó jadeando, con sus rulos al viento, se las había arreglado para que lo dejaran pasar, hacía flamear el cheque que traía en la mano.

—Conseguí que el hijo de puta de Beláustegui nos pague el free-lance.

—¡Hay que ser turro para mandarme un cheque al barco! —dijo Esmé—. Pero yo lo cobro igual.

Endosó el cheque y se lo dio a su padre, agradecidísima ahora de que estuviera allí.

Mucha gente se iba en serio, se iba del todo. Se notaba por la cantidad de equipaje. Guido y Esmé todavía no estaban seguros. Si querían, podían volver. Había caras conocidas. Un compañero del colegio de Esmé, sentado sobre un montón de bultos que sin duda habría que meter en la bodega. Un abogado conocido de Guido. El transatlántico, que estaba habituado a cruzar el mar llevando hombres y mujeres de cierta edad, gente con todo el tiempo y el dinero para conocer Europa o reencontrarse con ella, inmigrantes que deseaban rememorar aquel viaje en reversa que habían hecho cuando tenían más ilusiones que dinero, ahora llevaba en su panza de metal muchas parejas jóvenes, algunas con bebés o con chiquitos que correteaban entre las sogas, excitados, asustados, retenidos apenas por los gritos de sus padres.

—Todos tienen hijos —comentó la madre de Esmé, que la entendió y también la odió un poco.

—Esmeralda —le dijo su padre, con el último abrazo de despedida. Sólo cuando estaba muy enojado o muy emocionado, su padre la llamaba por su nombre completo.

El segundo día en el mar Esmé todavía estaba mareada por el movimiento del barco, pero no tanto como había temido. El tamaño de la bestia hacía que se sintiera menos el rolido. En cambio estar encerrada en la inmensidad sin matices del océano le producía una sensación de claustrofobia.

Había tres cubiertas y cada una tenía su propia pileta de natación, su propio salón comedor, sus salas de esparcimiento. Esmé y Guido intentaron colarse para conocer los salones de primera, pero severos controles impedían la mezcla de clases. Al menos de abajo hacia arriba. En cambio pudieron visitar la tercera, que no les pareció muy diferente de la clase turista. Como siempre, los ricos tenían derecho a husmear en los aposentos de los pobres pero no viceversa, aunque nadie fuera muy pobre en el transatlántico. Por supuesto, en la clase turista todos comentaban lo mucho que se divertían allí en comparación con lo incómodos que estaban los de primera, por culpa de la ridícula exigencia de vestirse de gala para las comidas. Había un cine, un verdadero cine con su gran pantalla y más de cien butacas. Había tiro al platillo (al *piatello*) todas las mañanas pero nunca se levantaban lo bastante temprano como para participar. En un sector al que tenían acceso todas las clases, había un paseo de compras que al principio parecía enorme y variado, casi una verdadera calle donde se podía comprar ropa de modistos franceses, carteras y zapatos italianos, chocolates y relojes suizos, pañuelos de seda, pagando con dólares o liras italianas. Pero después de recorrerlo un par de veces, Guido y Esmé se dieron cuenta de que era en realidad la imitación a escala de una calle y los negocios no eran más de cuatro o cinco. Guido, que nunca había militado, era un teórico marxista riguroso, ferviente como ninguno, y soportaba los lujos con severidad: no había que entregarse, era importante mantener distancia crítica.

Sobre todo, había comidas. Italianas, abundantes, deliciosas, variadas. Temáticas. Un día el comedor de segunda clase (pero se decía «clase turista») se disfrazaba de fonda española y otro día con unas redes y unas cañas se convertía en restaurante del puerto. Con una boina, una camiseta rayada, una faja en la cintura, un pañuelito al cuello o un chaleco bordado con lentejuelas, los mozos se disfrazaban sucesivamente de gondoleros, apaches franceses o toreros. Había un primer plato frío, por lo general un antipasto variado, una rigurosa pasta, siempre deliciosa y al dente, un plato principal, un plato de quesos, fruta y postre. El pan del desayuno era fresco, se horneaba todas las mañanas. Por la tarde había una merienda con tortas y budines que, después de semejante almuerzo, muy pocos estaban en condiciones de disfrutar. Llamaba a comer una música alegre y pegadiza que al segundo día ya actuaba directamente sobre las glándulas salivales.

Todas las mañanas se distribuía en los camarotes una hoja con los cables de noticias. El segundo día uno de los cables informaba que en la Costanera de Buenos Aires se habían encontrado veinte cadáveres dinamitados. Aproximadamente veinte. Como no fue posible reconocer los restos, decía la noticia, habían sido clasificados como N.N.

¡Y todo era tan divertido! Trece días hasta Lisboa. El abogado conocido de Guido, un hombre de piel tostada y pelo entrecano que se acercaba a los cincuenta años, viajaba con Mausi, una psicóloga que por pura casualidad era una pariente lejana de Esmé. Iban a Barcelona y su plan era instalarse en Sitges. El pueblo catalán se había convertido en meca de argentinos.

Almorzaban y cenaban juntos todos los días. Mausi era una mujer alta y delgada, con el pelo muy corto y una graciosa elegancia que impregnaba todos sus gestos. En la familia de Esmé se la mencionaba con escándalo. Cuando Mausi se separó por primera vez, dejó a sus hijos viviendo con el padre, una decisión asombrosa, inconcebible. ¿Una madre podía o quería librarse de sus hijos? No podía, no quería: no una verdadera madre. El abogado con el que viajaba a España era su tercera pareja. Esmé había escuchado a otras mujeres de la familia hablar de ella con una mezcla de horror, admiración, rechazo y envidia.

Mausi parecía tan imbuida de sus preceptos feministas que era difícil no tomarle un poco el pelo. Esmé fingía ser una jovencita tímida y sometida, que acataba las órdenes de Guido. Mausi la instaba a la rebeldía con largos discursos esclarecedores que la pareja más joven comentaba en el camarote desternillándose de risa.

Uno de los hijos de Mausi había muerto hacía un par de meses fusilado en un supuesto intento de fuga, cuando lo trasladaban desde el penal de Sierra Chica. Otra hija de su primer matrimonio se había escapado a tiempo y vivía en México. Amenazada, Mausi había decidido irse a España con Edgardo, dejando con su segundo marido a una chiquita de cinco años. (¿Una madre?) Edgardo también había sido amenazado, por haber defendido a un líder sindical.

Con tanta gente joven, el clima en el barco era muy alegre. Casi todas las noches se organizaban fiestas y bailes. Tocaba un conjunto musical en vivo contratado para repetir una y otra vez los mismos clásicos populares, que interpretaban cansados y aburridos mientras los pasajeros bailaban con entusiasmo. También había una serie de rituales previstos, que para la tripulación no tenían ninguna novedad pero que los pasajeros vivían por primera y probablemente única vez en sus vidas. La fiesta del Cruce del Ecuador fue al mediodía, había muchos pasajeros disfrazados, Esmé fingió querer participar, Guido fingió prohibírselo y así obtuvieron uno de los mejores discursos feministas de Mausi. Su compañero, sin embargo, empezaba a sospechar.

Una de las diversiones del Cruce del Ecuador consistía en tirar a la pileta a las mujeres disfrazadas de vagamente polinesias (minifaldas de falsos juncos, collares de papel crepe), que se prestaban alegremente,

entre gritos y risas. Por supuesto una de las primeras
en caer al agua fue Mónica Sternberg. Esmé la conocía porque sus dos hermanos habían sido compañeros
suyos en un campamento del club. Alejo Sternberg,
el menor, había interrumpido su carrera en Ciencias
Económicas y ahora trabajaba de lavaplatos en Málaga.
Mónica era bellísima. Todas las mañanas se formaba en
la cubierta de segunda (clase turista) un corro de muchachos, entre los que estaba Guido, para verla desde
arriba, jugando al ping-pong en bikini en la cubierta
de tercera.

Al hermano mayor, Guillermo, se lo habían llevado una noche de su casa. Se decía que estaba detenido,
como muchos otros, en un predio de la Marina, se decía que había sido torturado, se decía que todavía estaba vivo. Era raro, en Buenos Aires, pasar por ciertos
lugares, por ciertos edificios, caminando o en auto y
saber que ahí estaban encerrados amigos, o parientes,
o conocidos, o compañeros del colegio, secuestrados,
torturados, pero vivos. Esmé envidiaba la cintura de
Mónica y sus ojos verdes y también le envidiaba la angustia de saber que su hermano estaba desaparecido,
en lugar de la rigurosa certeza del cadáver cosido a ba-
lazos de su propia hermana, que habían retirado de la
morgue judicial. En unos pocos años, con toda seguridad, los desaparecidos serían legalizados y juzgados,
o directamente liberados.

En el transatlántico todo estaba cuidadosamente
calculado para el disfrute de los pasajeros, incluyendo
las aventuras eróticas de las pasajeras con los tripu-
lantes. Los oficiales de abordo parecían haber sido ele-
gidos por su atractivo físico. Eran todos altos, de pelo
bien cortado y aspecto impecable. A Esmé le parecían

un poco irreales, con sus camisas blancas impolutas y sus sonrisas siempre listas y brillantes. Hablaban en italiano o en un castellano cantarín, encantador, que a las mujeres les gustaba escuchar muy cerca del oído. El capitán parecía inexpugnable, pero se decía que el primer oficial había caído bajo el fuego graneado de Mónica Sternberg. Los oficiales eran relativamente pocos y no les resultaba fácil atender como correspondía a todas las pasajeras ansiosas, pero se multiplicaban y hacían maravillas. Se decía, por supuesto.

Esmé tenía pesadillas. Una noche soñó que veía pasar cadáveres ensangrentados por un ojo de buey. Una lluvia de muertos que se hundían a una velocidad imposible, como si fueran hombres-bala, como si los disparasen desde arriba con un cañón que apuntara al fondo del océano. Guido la oyó gritar y bajó de su cucheta para sacudirla. Cuando se despertó, la pesadilla todavía estaba allí.

Tarde o temprano, para disfrutar y entretenerse, la gente necesita competir o, por lo menos, ver competir a otros. Por supuesto, también esa necesidad, tan humana, estaba adecuadamente prevista. Además del famoso tiro al *piatello*, que Esmé y Guido todas las noches se prometían ir a ver y todas las mañanas olvidaban, había concursos de todo tipo. Concursos de baile, concursos de disfraces, concursos de talentos, campeonatos de truco, de canasta, de backgammon, de Scrabel, pero no de póker. Esmé miraba las caras de los jugadores tratando de adivinar quiénes eran turistas, verdaderos turistas, quiénes eran los que volverían al país después de unas semanas de diversión en Europa. A veces le parecía que no encontraba ninguno. En el concurso de disfraces, el premio al disfraz más original lo ganó un muchacho de ojos brillantes disfrazado de silla plegadiza. Era ese compañero al que había reconocido en el puerto con su mujer y su bebé.

A él no necesitaba preguntarle nada. Sus compañeros del colegio secundario estaban cayendo como moscas, como hormigas, como cucarachas, pero con menos capacidad de supervivencia. Cuando era chica, en carnaval, su padre las disfrazaba a ella y a su hermana de niñas accidentadas. Con cuidadosos vendajes manchados de ketchup, con brazos en cabestrillo y rengueando, entraban al corso ante las miradas compasivas de las señoras, que preguntaban con espanto qué les había pasado a las pobrecitas. Ahora la idea de disfrazarse de herida ya no le gustaba y, como sucedía con muchas diversiones de la infancia, le resultaba difícil recordar por qué le había hecho tanta gracia en su momento.

Esmé pasaba muchas horas leyendo en la cubierta, recostada en una reposera, con las piernas cubiertas por una manta aunque hiciera calor. Era una postura un poco incómoda, que la literatura y el cine habían hecho prestigiosa. Compartía con Guido la pasión por el cine: la salita del transatlántico, siempre colmada, los maravillaba y seducía. Iban todos los días, iban a ver incluso las películas infantiles. El programa del barco evitaba cuidadosamente los dramas y se limitaba a comedias y películas de acción. No era tal vez lo que hubieran elegido, pero hasta eso resultaba placentero, no tener que elegir. Esmé trataba de no mirar el programa del día para que la sorpresa fuera completa, se sentaba a mirar la pantalla con ilusión de nena chica.

En una película muy violenta, dos policías de California dejaban de lado todo intento de legalidad para pelear contra el mal con las armas del mal. Era una historia con moraleja, que justificaba lo irremediable de actuar fuera de la ley para defender la ley, un método a la manera de Harry el Sucio, que Clint Eastwood había puesto de moda unos años antes y que hubiera sido impensable para la generación anterior, donde, al menos en el cine, los buenos eran siempre impecablemente buenos, justos y legales. En una secuencia en que los detectives derribaban la puerta de un departamento a patadas y entraban disparando una ametralladora, Esmé sintió náuseas, seguramente por culpa del movimiento del barco, y tuvieron que irse del cine. Se había levantado mucho viento y estaban entrando ya al Golfo de Vizcaya, donde siempre hay mar gruesa. Guido la hizo tomar un Dramamine y se quedó acostada en la cucheta hasta la hora de cenar.

El barco tocó tierra en Lisboa. Hacía poco había caído la dictadura de Caetano, el sucesor de Salazar, y los portugueses, por primera vez en cuarenta y ocho años, habían votado en elecciones libres. Lo que más les llamó la atención a Esmé y Guido fueron las paredes pintadas con consignas políticas, que le daban a la ciudad un aspecto sucio y desprolijo. Fueron al Jardín de Plantas y llegaron justo a tiempo para volver al barco. Nadie o casi nadie se quedaba en Lisboa. Todos o casi todos bajaban en España. En el puerto de Barcelona el *Eugenio C* dejó su carga de argentinos asustados, jóvenes, felices de estar vivos, excitados, contentos de haber llegado, de haberse ido, mutilados. Juventud es alegría.

Diario 1

Estoy leyendo un libro que me regaló Lucía. Sabe elegir. Se llama (título audaz) *HhHH*, el autor es un escritor francés, Laurent Binet. El tema es el atentado contra Heidrich, jefe de la Gestapo, Praga, 1943. Rigurosamente histórico. Y sin embargo.

Y sin embargo es algo más o es otra cosa. Porque simultáneamente con el relato de hechos históricos o la descripción de documentos, Binet lleva un diario de su propia investigación, en el que no escatima sensaciones, fracasos, sentimientos.

Me pregunto si será posible lograr algo equivalente con un libro de ficción. La ficción se construye como los sueños. No se sueña con algo desconocido, el sueño reorganiza los materiales conocidos en la vigilia.

Lo que se crea: nada, prácticamente nada. Una construcción a partir de los viejos materiales de siempre, en base a estructuras predeterminadas por la tradición. Como hacían los españoles en el Nuevo Mundo: destruir un templo pagano para usar los bloques en la edificación de una iglesia.

Lo que se crea: apenas alguna nueva interrelación entre las partes, un sutil apartarse de ciertas normas cuya aplicación es necesario dominar.

Como en los sueños: nada más que una combinación diferente de factores que sin embargo altera, altera, altera el resultado.

¿Será posible, entonces, una novela que incluya un informe sobre el proceso de su construcción? ¿La recolección de datos pero también los problemas y dificultades del novelista? Parcialmente. Por cierto, no sería la primera vez. En una reconstrucción histórica como la de Binet, la suerte está echada. Aunque ignore los detalles, el lector conoce de antemano el desenlace. Eso le permite al autor hacer comentarios desenfadados acerca de lo que sigue a continuación, sin temor a desactivar el suspenso, que se sostiene (a la perfección) con otras herramientas. En una novela de ficción pura, en cambio, no es posible o no es aconsejable adelantar lo que el autor piensa hacer con sus personajes, no se puede mencionar las dificultades para mantener el rumbo porque se desea escamotear al lector cuál es el destino final (que además, en el curso de la escritura, puede ir cambiando incluso para el autor). Pero sí se puede describir cómo se realizó la recolección de materiales y tal vez ciertas líneas generales por las que avanzará el discurso.

El diario de la novela fingirá ser siempre documento, pero en buena parte también será ficción.

Veremos.

París era una fiesta
a la que no estaban invitados

Era verdad lo que decía su madre. Todos tenían hijos y eso no les hacía la vida más fácil, pensó Esmé, para justificar otra vez la decisión de postergarlos. En Barcelona se encontraron con los Lúquez, que habían llegado del Perú y vivían con los dos chicos en la piecita de una pensión que les daba almuerzo pero no cena. Los chicos se abalanzaron sobre unas peras verdosas, alargadas, con manchas marrones, que Guido y Esmé habían traído del barco, y se las comieron a dentelladas, sin comentarios, con poca alegría. Pero Ana Lúquez ya había conseguido trabajo en una agencia de publicidad catalana y esperaba el primer sueldo para mudarse, para cenar.

Esa noche tomaron el Talgo a París. Viajaron en un camarote compartido, acunados por el movimiento del tren. Durmieron porque eran jóvenes. Iban a París porque eran argentinos, porque eran latinoamericanos, porque habían leído a Cortázar, porque pensaban que París era La Meca y la Ceca, el sueño del pibe, el cenit y el nadir, el microcosmos del universo, la locura, la maravilla, Gog y Magog, el lugar de la libertad, de la creación, el ombligo del mundo y sobre todo, de la vida bohemia, la ciudad donde el arte se paseaba desnudo por las calles, iban a París porque París era París y se había esforzado arduamente, durante muchos siglos, en la tarea de crear en el mundo esa fantástica ilusión acerca de París.

Nunca se les había ocurrido considerar lo que París pensaba de ellos.

París no los esperaba, no los deseaba, no los quería.

París era una ciudad dura, a la que no le interesaban los inmigrantes pobres. La Ciudad Luz era también la Ciudad Gris. Barcelona les había parecido gris por el estado de sus calles y de sus edificios, por la ropa gastada, el aire cansado y modesto de sus habitantes. En París el sol salía de vez en cuando, en verano y parte de la primavera. En París lloviznaba. Siempre. La famosa llovizna de París era hermosa y literaria durante toda una semana. Pero después seguía. Esmé se despertaba a la mañana, abría los postigos del estudio y se encontraba otra vez con ese techo de nubes que le quitaba las ganas de vivir.

Para vivir, además, había que ganar algún dinero. Para ganar algún dinero, no hubiera sido malo tener papeles en regla, algún tipo de legalidad. Esmé y Guido habían entrado con visa de turista.

Vivían en un sexto piso sin ascensor, con un baño tan pequeñito que se duchaban sentados en el inodoro. Era un *estudio*, un título agradable y prestigioso desde el otro lado del mar (*Querida Lili: ya estamos en París y alquilamos un estudio genial…*) pero que en París servía para denominar, de la manera más prosaica, un departamentito de un solo ambiente. Lo alquilaron amueblado. Como el sommier que hacía de cama estaba vencido, lo dieron vuelta y encajaron el colchón entre las patas. Se tapaban con unas frazadas de trama cerrada, manchadas, livianas y abrigadas, rezagos del ejército que habían comprado en el Mercado de

Pulgas. Sobre las frazadas extendían, para calentarse, el símbolo mismo de su argentinidad: los gamulanes, esos abrigos de corderito gamuzado, pesados y eficaces contra las noches heladas. Comían por tres francos en el restaurante universitario. Al atardecer miraban con ansiedad y sin dinero las vidrieras de las *charcuteries*. En la panadería compraban *baguettes*, en el supermercado compraban manteca y paté de hígado de cerdo que de todos modos era muy rico (se miraban cómplices una vez más), era *comida francesa*.

París derramaba néctar para atraer a las abejas que la recompensaban con su miel. Pero no podía evitar, en el curso del proceso, que se le pegaran moscas. Incluso las moscas, vistas desde afuera, y gracias al prestigio y la sutil inteligencia de la ciudad, formaban parte de su corona. Pero desde adentro lo que se hacía era combatirlas con insecticidas y palmetas. Esmé y Guido eran moscas. De pronto se dieron cuenta de que, en realidad, los personajes de *Rayuela* nunca habían sido felices en París, por más que, con la magia de su prosa, Cortázar provocara felicidad en los lectores.

Tener baño y cocina completos, aun sin bañadera, era un privilegio que pocos de sus amigos compartían. Algunos tenían baño pero no cocina. Había quienes compartían un baño en el pasillo con los vecinos de piso. Muchos vivían en *chambres de bonnes*, esas piecitas mal ventiladas en el último piso, sin baño y a veces tan minúsculas que la cama quedaba encastrada entre las dos paredes.

Trabajaron. Fueron pasando por todos los tristes trabajos de los sin-papeles. Cada tres meses cruzaban la frontera y volvían a entrar para renovar el permiso de residencia como turistas. En una exposición de comida española Esmé consiguió trabajo temporario como camarera, y lo perdió apenas se le cayó su primer bandeja con el vino y las copas.

Los dos repartieron volantes, él ayudó a descargar camiones, ella hizo trabajos de limpieza. Esmé intentó dar clases de español, pero sólo consiguió intercambio por clases de francés. Guido creyó que podrían contratarlo en la cosecha de uva, pero llegó tarde.

El cartero pasaba tres veces por día. Esmé palpaba ansiosamente el buzón buscando esos sobres con el borde celeste y blanco, rotos y pegoteados por una censura que no intentaba disimularse sino que, al contrario, participaba modestamente en la consolidación del terror, esos sobres llenos de papel finito y liviano, papel de vía aérea, llenos de noticias insinuadas, de palabras banales que escondían las historias que nadie se atrevía a escribir. Y si la presencia de su hermana Regina le colmaba los sueños, su ausencia le apretaba las arterias, le quitaba el aire cada vez que metía la mano en el buzón creyendo, contra toda razón, contra toda memoria, creyendo sin saber que creía, desde el puro olvido, que uno de los sobres llevaría su nombre escrito con la letra chiquita y despareja de su hermana muerta.

Los dos tenían pesadillas. Las pesadillas de Guido eran confusas y no podía o quizá no quería contarlas. Se levantaba en mitad de la noche para lavarse la cara con agua fría. Esmé soñaba mucho con los compañeros, los más jóvenes, los que estaban a su cargo, sobre todo con aquellos a los que había seducido y abandonado, aquellos a los que había persuadido de incorporarse a la militancia. Como no sabía sus nombres verdaderos, ni sus direcciones, ni tenía ningún dato que le permitiera comunicarse con ellos, o con alguien que los conociera, no sabía qué les había pasado. Sus caras volvían en sueños una vez y otra vez, y si su hermana volvía viva, intacta y exigente, quizá como castigo, quizá porque eso hacía todavía más doloroso el despertar otra vez a su ausencia, sus compañeros, en cambio, los más jóvenes, aunque fueran capaces de reírse, de comer, aunque hablaran y se movieran en sus sueños, siempre volvían muertos.

Si tenía una hija, le iba a poner el nombre de su hermana. Quería tener una hija para ponerle el nombre de su hermana. Era necesario, era urgente y constante recordar que no quería tener hijos todavía. Pero si tuviera. Si alguna vez tuviera.

Se reunían con muchos otros argentinos y algunos latinoamericanos, todos jóvenes, casi todos exiliados, algunos con sus hijos nacidos en Francia, a los que se les negaba la nacionalidad francesa por ley de sangre y la nacionalidad argentina por ley de suelo. Durante la dictadura, la embajada argentina tenía orden de no aceptar las solicitudes de nacionalización de los bebés nacidos en Europa en esos años, y los chiquitos quedaban con el estatus legal de parias, bebés apátridas a los que sus madres les daban de mamar con culpa, con angustia, con orgullo.

Quizá porque el hecho de estar en París los empujaba de algún modo hacia las difusas fronteras del arte, y también porque Guido no había encontrado ni dónde ni cómo encauzar su vocación y sus inconclusos estudios de derecho, inútiles, imposibles de completar en un país donde había otro idioma y otras leyes, quizá porque los muchos días vacíos entre un trabajito y el otro los llenaban yendo al cine, donde solían quedarse a ver varias veces la misma película en continuado, o visitando museos, los infinitos museos de París, quizá por su amistad con el hijo de Vitale, un pintor argentino radicado en Francia, Guido empezó a hablar de uno de sus antiguos deseos ocultos en su momento bajo la montaña de obligaciones de un estudiante de abogacía y de marxismo. Como marxista no militante pero riguroso, Guido había participado en decenas de grupos de estudio, había leído a Marx y Engels en sus textos originales, sin por eso despreciar a sus divulgadores, como Marta Harnecker, autora de esa biblia generacional que se llamaba *Los conceptos elementales del materialismo histórico*. Había leído a Gramsci y a Rosa Luxemburgo y a Paulo Freire, había leído, para discutirlos, a los anarquistas, a Bakunin, a Kropotkin, había leído a Trotsky y a Lenin y se sabía literalmente de memoria el *Manifiesto Comunista*. Pero ahora, en París, quería pintar.

Esmé se sorprendió. No conocía y no sabía si aprobaba esa nueva faceta de su marido. Guido se hizo habitué del estudio de Vitale, se reunía con los viejos y jóvenes amigos del pintor que discutían tendencias y modas del arte europeo, defendiendo sobre todo la antigua y prestigiosa pintura de caballete y atacando los fáciles disparates del arte conceptual.

—El arte no está hecho de ideas. Las ideas son para ustedes —le decía, con cierto matiz despectivo, a Esmé—, para los publicitarios. El arte es realización. El arte es cada pincelada.

Poco a poco se fue impregnando del vocabulario técnico correspondiente y comenzó a ahorrar todo lo que podía para comprarse un caballete, lienzos, bastidores, óleos, pinceles.

—Pelo de marta —decía, con tono reverente, cuando Esmé se azoraba por el precio de un pincel.

El departamento de un ambiente en el que vivían era pequeño, muy pequeño, y cuando comenzó a llenarse de telas, de trapos sucios de pintura, de tarros de pigmentos, de blancos modelos de yeso o coloridos modelos de cera, cuando entró la puerta-mesa en la que Guido mezclaba sus colores, experimentaba con los óleos, carísimos, marca Rembrandt o Windsor and Newton, confinando a un rincón la máquina de escribir de Esmé, la situación se volvió desesperada. El olor, sobre todo, angustiaba a Esmé cuando volvía de la calle y sentía que su pelo, su ropa, su piel, se impregnaban de ese tufo a óleo, aceite de linaza y trementina que a Guido le producía una alegría profunda, difícil de comunicar, que manifestaba respirando hondo mientras se ponía su ropa de pintar, un pantalón y un pulóver viejos y manchados.

Lo más curioso era que Guido no pintaba.

Guido despreciaba los cartones, se oponía a los acrílicos, a los que consideraba un facilismo, trabajaba a la antigua los lienzos de lino, que se negaba a comprar montados ya en los bastidores, mezclaba los pigmentos para obtener una paleta propia, única, *su* paleta, la que lo distinguiría de todos los demás pintores de este mundo. Usaba una puerta montada sobre caballetes, una gran puerta rota y arruinada que alguien había sacado a la calle para que se la llevaran con la basura y que Guido había logrado hacer entrar al estudio con dificultad y con ayuda. Había latas donde ponía los pinceles (gruesos y finos, chatos y redondos) de acuerdo con su forma. Y sobre las paredes se acumulaban las espátulas. Guido se sentía parte del movimiento de la *nue-*

va figuración, que se alejaba de las instalaciones y los happenings para volver a la pintura tradicional. Hacía bosquejos en anotadores de papel especial, y llegaba a plantar, incluso, varias pinceladas en los lienzos. Pero nunca terminaba ninguna de sus pinturas.

En esa época Esmé había conseguido trabajo como *au pair* y estaba cuidando a un niñito rubio de tres años, hijo de una pareja de suecos, al que sólo le interesaba armar torres de cubos y no le gustaban en absoluto los intentos de su cuidadora de sumirlo en abrazos sudamericanos, en besos que sus padres parecían desaprobar sin palabras, con sus miradas, con su conducta, como si Esmé pretendiera untar las mejillas del niño, siempre tan limpio, tan blanco, tan dorado, con una espesa capa de saliva contaminada con bacterias del tercer mundo.

—¿Y si trataras de dar clases de pintura? Podríamos poner cartelitos...

—No. Ya te dije que no quiero dar clases. Y tampoco quiero hacer artesanías. No quiero hacer nada que sea una caricatura. Prefiero hombrear bolsas en el puerto antes que bastardear el Arte.

Guido siempre decía Arte con mayúscula, no lo bastardeaba y tampoco hombreaba bolsas en el puerto. En cambio había descubierto ese pequeño negocio que podía financiarle su carísima pasión: traer autos usados de Holanda y venderlos en París. En Holanda los autos se desvalorizaban muchísimo, entre otros motivos, porque el precio de la patente era más caro cuanto más viejo era el auto. A los cuatro o cinco años los holandeses se sacaban el auto de encima a precios ridículos. Había que cruzar la frontera sin despertar sospechas y después, con un simple cartelito en el parabrisas, el vehículo se vendía por buena diferencia en París.

Pero sobre todo se había sumado Guido (con la misma dosis de fanatismo con la que se había entregado en su país a discutir el marxismo) a la miríada de Artistas Latinoamericanos que luchaban en París por la pureza del arte sin ejercerlo. Ahora pertenecía a la legión de pintores que no pintaban, escritores que no escribían, compositores que no hacían música, escultores que no esculpían, actores que no actuaban, pero que en cambio se reunían, discutían, bebían (en lo posible, ajenjo) y, más que nada, vivían en París, una actividad que parecía validar sus pretensiones, que en cierto modo los eximía del ejercicio de su arte.

Una mañana Esmé abrió las persianas esperando el sol, que no venía, y después bajó, como siempre, a comprar las *croissants* para el desayuno (seis medialunas *ordinarias,* que así llamaban los franceses, tal vez injustamente, a las medialunas de grasa). Llovía. Una carta de Buenos Aires decía que Lucio y Guillermo no estaban. Esmé leyó la frase muchas veces, como si pudiera descubrir nuevos significados en los arabescos de las letras. Eran dos hermanos que habían estado de novios con sus primas. Lucio, el mayor, era rubio, prolijo. Guillermo tenía dieciocho años y el pelo muy enrulado. Ahora no estaban: no estaban. Pensó en llamar por teléfono pero tenía miedo.

Poco antes de que Esmé y Guido se fueran de Buenos Aires, Guillermo y su prima Dorita le habían pedido permiso para dormir en su casa. Estaban cansados, sucios, de mal humor. En la última semana pasaban las noches yendo y viniendo en colectivo: así era estar *en la clandestinidad.* El departamento de Esmé y Guido también era peligroso. Se quedaron una sola noche.

Esa tarde, en París, Esmé tomó coraje y fue al correo para hablar por teléfono.

—Recibí tu carta. ¿Guillermo y Lucio no están? ¿No están del todo? —se atrevió a preguntar.

—No —le contestó la tía, con su voz enérgica de siempre.

—¿Pero qué quiere decir que no están?

—Quiere decir eso que vos pensás. Quiere decir que no están más, desde hace veinte días. Por tus primas no te preocupes, las fletamos a España.

Esmé tenía la esperanza de que Lucio y Guillermo estuvieran vivos y siguió manteniéndola durante algunos años.

Diario 2

La imperfección del imperfecto a la hora de narrar. Estoy escribiendo el segundo capítulo, tal vez demasiado largo, en un penoso pretérito imperfecto: *salían, comían, entraban, saltaban, pensaban, sentían.* El imperfecto no es un tiempo narrativo. Sirve para contar cómo *eran* las cosas, no sirve para contar *qué pasó.* Curiosamente, esta era una dificultad que tuve en mis primerísimos intentos de narrar, cuando trataba de pasar de la poesía al cuento. Por alguna razón, podía describir sin problemas cómo *era* todo, y fracasaba a la hora de contar *qué pasó entonces.* No me resultaba natural, debía forzarme, impostar la lengua, para poder romper la red de la situación, para irrumpir en el relato. *Entonces, de golpe, una vez,* milagrosas palabras que convocan al pretérito indefinido. *De pronto, un día* irrumpió la acción, se produjo la magia, me encontré narrando. Pero no tuvo nada de mágico. Fue lento, consciente y forzado.

Ahora me pasa algo parecido. Por algún motivo siento la necesidad de seguir contando qué pasaba, antes de llegar a lo que pasó. Quizá porque estoy intentando una historia de vida, una historia que debe desarrollarse a lo largo de muchos años. ¿Qué hacen, cómo hacen los demás?

Estoy leyendo un libro de Herta Müller *Todo lo que tengo lo llevo conmigo.* Es una novela acerca de un campo de trabajos forzados en Rusia, en la posguerra, adonde tienen encerrados a cientos de jóvenes rumanos de habla alemana. En otros libros (*El hombre es un gran faisán en el mundo*), para relatar las historias más crudas y brutales, Herta Müller despliega una prosa poética bellísima, compleja, difícil, inmensamente placentera. Este libro, que no carece de poesía, está escrito, en cambio, de una manera sencilla y directa. Llevo leídas unas doscientas páginas de pretérito imperfecto con brevísimas escenas de acción que sirven casi para ilustrar las descripciones. Entonces, es posible.

Información: C. y R. me hablaron largamente del contrabando o cuasicontrabando de autos holandeses en los setenta. C. los llevaba a Madrid por cuenta de otro, R. «importaba» combis personalmente a París. Me dieron información fascinante y muchísima más de la que necesitaba para esta novela. Cuando llegó el momento de utilizarla, me di cuenta de que si avanzaba por ese terreno, me iba a desviar demasiado de mi objetivo. Sin embargo, me alegro de haberles preguntado: aunque aparezcan sólo dos frases sobre un tema, deben ser coherentes y sin errores.

Entrevisto a mi amigo X., artista plástico, para obtener información sobre las actividades de Guido en París. X. fue refugiado político en Europa. Nos encontramos en La Biela, un café que fue de los jóvenes en los sesenta. Pero no de los jóvenes hippies, ni de los militantes, ni de los intelectuales. Nosotros preferíamos los cafés de Corrientes: El Colombiano, el Ramos, La Paz, el Politeama, el Foro, La Giralda. Sólo aquellos a los que llamábamos *bananas* iban a los cafés de Libertador o a La Biela, que ha demostrado tener una clientela ridículamente fiel. Son ellos, son los mismos, son los chicos que llegaban con sus motos en los años sesenta-setenta y ahora tienen como mínimo sesenta-setenta años. Sin motos.

X. no vivía en París en esa época. En cambio me informa con mucha precisión acerca de los elementos que podía tener Guido en su estudio. Qué pinceles, qué lienzos, qué colores, sabe incluso en qué tienda de París se compraban.

Hoy el mundo ha descubierto Buenos Aires y lanza constantes hordas de turistas sobre la ciudad. La Biela está en la zona turística por excelencia. Detrás nuestro una pareja baila muy bien el tango y la milonga. El sonido molesta bastante en la grabación pero el día está lindo y preferimos quedarnos afuera. X. me habla con mucha precisión de los objetos materiales, pero recuerda menos el tipo de discusión que podía haber en el ambiente artístico. Yo insisto. ¿Qué artistas eran consagrados, cuáles eran polémicos? ¿Le Parc? ¿Warhol? ¿Minujin? ¿Cuáles eran Los Temas? Me habla mucho de instalaciones pero yo tengo dudas. ¿Se usaba esa palabra en los años setenta? Creo haberla escuchado por primera vez hace unos quince o veinte años. Aunque quizá sí se utilizara ya en el ambiente de las artes plásticas. Y el arte social. Claro, tiene razón. Eso sí lo recuerdo con intensidad. El muy reciente (en los setenta) reinado de los posters, el arte de denuncia, el arte colectivo, el arte por todos y para todos. ¡Ah, la memoria! Ese paisaje falso, un decorado grosero plagado de dudas y mentiras.

El Embajador

Con el paso de los años, lento en su transcurso, angustiosamente veloz en el momento de mirar hacia atrás, la situación de los exiliados fue mejorando. Guido y Esmé consiguieron la residencia legal, el negocio de los autos usados holandeses prosperó, y consiguieron mudarse a otro departamento, un poco más grande, sin cocina pero con baño (tan grande que permitía incluso la presencia de un símbolo de lujo, la bañadera), en un segundo piso. La sensación de alivio que sintió Esmé en el momento de la mudanza desapareció rápidamente en cuanto Guido instaló otra vez sus caballetes, sus óleos, sus solventes y las reuniones de sus amigos, esos pintores latinoamericanos que, salvo alguna excepción, pintaban tan poco como él pero en cambio fumaban cigarrillos negros, Gauloises o Gitanes, creando arte perecedero en forma de volutas de humo que se perdían en el aire casi tan rápido como el sonido de su palabras.

Entre ellos estaba Bilz, un muchacho que insistía en las gruesas patillas Beatles que ya estaban empezando a pasar de moda. Quizá por su eterno buen humor y su simpatía personal, quizá porque hablaba muy bien el francés pero también el inglés, Biltz había conseguido uno de los mejores trabajos del ambiente de los exiliados, aun en una época en que muchos de

ellos comenzaban a dominar el idioma, conseguían papeles y emprendían el camino del trabajo legal. Biltz
era chofer del embajador de una república africana, al
que describía como un negro enorme y generoso, que
luchaba contra el francés con todas las dificultades de
los angloparlantes, más las que tal vez le proponía su
incomprensible y africano idioma natal.

Gracias a Biltz, a su buen inglés y a su encanto personal, Esmé consiguió trabajo como niñera-institutriz
de las mellizas africanas.

Eran las hijas del mismísimo Embajador y lo más
torturante debía ser peinarlas, pero por suerte no
había que hacerlo con frecuencia y, sobre todo, no le
correspondía a Esmé, sino a la niñera-niñera. Tenían
cinco años, los ojos vivaces y divertidos, la piel de color té con leche y el pelo castaño claro. Usaban peina-
dos complicados pero duraderos que no era necesario
desarmar más que una vez por semana. El padre, tan
negro que su piel lustrosa parecía emitir un brillo oscuro, era un hombre de talante grave que apenas hablaba con Esmé. Tal como lo había descripto Biltz, era
grande y quizás, en algunos aspectos, también generoso: le pagaba bien. Al tomarla a su servicio, después
de una larga conversación en la que indagó sobre sus
conocimientos y su formación, le había entregado un
papel con instrucciones por escrito que incluían detalles sobre la compleja relación con el resto del personal de servicio, rigurosamente blanco: la cocinera,
las dos encargadas de la limpieza, los choferes de él
y de su esposa, el mucamo de comedor y, sobre todo,
la niñera-niñera, una muchacha portuguesa que se
encargaba de cuidar a las mellizas, vestirlas, darles de
comer, y que parecía bastante celosa de la relación de

las chiquitas con Esmé. La preferencia por personal de servicio blanco era característica de las embajadas y los embajadores de los países africanos.

En Argentina casi no había negros. Esmé estaba convencida y orgullosa de no tener ningún tipo de prejuicio racial pero el Embajador la ponía a prueba. Era, por supuesto, totalmente distinto de los negros que barrían las calles de París con un atado de ramas, mientras masticaban algo vegetal y rojo que les teñía los dientes. Y también era muy distinto de sus amigos, los periodistas ugandeses, comunistas hasta la médula, exiliados de su tierra, que complotaban para liberar a Uganda de la dictadura de Idi Amin Dada. Pero el mero hecho de comparar al Embajador con otros hombres negros, en lugar de compararlo con el resto de la humanidad, era un violento signo de prejuicio: Esmé lo sabía, se avergonzaba, y se perdonaba sólo en parte diciéndose que los prejuicios son inevitables y que hacerlos conscientes sea quizás una forma de domesticarlos. Esmé estaba segura de que no eran sus rasgos, ni el color de su piel lo que le provocaba esa mezcla de temor y rechazo, sino su cortesía implacable, rígida, un bloque helado de cortesía que no era posible atravesar. El Embajador se había formado en internados ingleses y había estudiado ciencias políticas en Oxford. Tocaba música clásica con inesperada sensibilidad en el enorme piano de la sala principal.

Su esposa era una chica peruana, tan blanca que parecía pintada a la cal. Pertenecía a una familia empobrecida de la aristocracia local. Sus padres nunca le habían perdonado que se casara con un negro, por muy Embajador que fuese. Cuando se conocieron, él era funcionario de la embajada de su país en Perú y ella no tenía inconvenientes en confesar que la había deslumbrado con su poder económico, la promesa de una vida de cócteles y cenas con un vestido diferente para cada ocasión, autos de lujo y muchas joyas. Era una muchacha frívola, divertida, cariñosa, sus hijas la adoraban y corrían a abrazarla cuando volvía por la tarde, cargada de paquetes, de las excursiones de compras que parecían hacerla tan feliz como se lo había imaginado cuando aceptó casarse con su marido.

En este caso los abrazos latinoamericanos eran vistos con buenos ojos y Esmé nunca tuvo la sensación de que las mellizas tuvieran que pasar por un proceso de desinfección en cuanto se iba su niñera.

Si la llegada de la madre provocaba en las niñas un estallido de alegría, el padre traía a la casa una nota sombría. Vivían en un bello edificio antiguo de la calle Marigny, en un piso enorme, donde cabían veinte estudios como el de Guido y Esmé. Todas las habitaciones eran inmensas y por todas ellas parecía correr un soplo de aire helado cuando abría la puerta el padre de las mellizas.

La tarea de Esmé consistía en entretenerlas unas horas desde que volvían del Kindergarten. Había sido seleccionada para esa tarea por la buena calidad de su francés, por ser hispano-hablante, y por su cultura general. Jugaba con ellas, les leía cuentos en francés y en español, escuchaban música previamente seleccionada por el padre. Criadas en un ambiente de normas rígidas, que ni siquiera su madre se atrevía a desafiar, las nenas se portaban muy bien y rara vez se resistían a una orden o se atrevían a un capricho.

Una tarde Esmé estaba leyendo en voz alta en el cuarto de las mellizas, absorta en las aventuras del ele-

fante Babar, sin darse cuenta de que sólo la escuchaba
Joy, mientras que Margaret, la más traviesa de las dos,
había salido sin hacer ruido. El exceso de calma y silencio alertó a Esmé, que dejó el libro y salió a buscar
a la chiquita, seguida por Joy. Encontró a Margaret en
la sala del piano, entretenidísima en una actividad prohibida: se había sacado los zapatos y jugaba a correr y
patinar en medias por el piso encerado. No sabían que
el Embajador estaba en la casa. Cuando la chiquita se
dio cuenta de que su padre la estaba mirando, el susto
le hizo perder el equilibrio y se cayó al piso.

Como si no la hubiera visto, el padre avanzó y se
sentó en el taburete del piano. Esmé quiso llevarse a
las mellizas pero ellas se quedaron allí, cada una en su
lugar, como estatuas congeladas. Sabían lo que venía
a continuación y sabían que tratar de escapar hubiera
sido peor.

Con toda la calma el padre llamó a Margaret. La
nena se levantó y caminó lentamente hacia el piano,
arrastrando los pies, que parecían resistirse a la orden que impartía el cerebro. Cuando llegó junto a él,
el padre le ordenó que se diera vuelta y se agachara.
Con tranquilidad, sin la menor alteración nerviosa,
sin enojarse, como quien imparte un castigo justo y
necesario, eligiendo un lugar del cuerpo donde no le
haría daño, el padre le dio un golpe en las nalgas con
bastante fuerza como para enviarla hacia delante y casi
(pero sólo casi, el cálculo era preciso) golpear contra la
pared. Margaret se volvió a caer y esta vez se lastimó
con los dientes el labio inferior. Esmé esperaba oírla
estallar en llanto, pero la nena sabía mejor que ella lo
que le convenía. Se paró y se limpió la boca con el dor-
so de la mano, en completo silencio, mientras las lágri-

mas le corrían por las mejillas oscuras. El Embajador
ya estaba tocando los primeros compases de un trabajo
para piano de Debussy.

—Lávele la cara, Esmeralda —ordenó—. Y que no
vuelvan a entrar en esta sala.

Esmé supo que no podía ni quería seguir trabajando en esa casa. Y supo también, por primera vez, algo
que ni siquiera el cariño fácil que tenía por las mellizas
había despertado en su cuerpo. Supo que quería tener
un hijo para no pegarle nunca, para no permitir que
nadie le pegara. Fue entonces cuando comenzó a crecer en Esmé esa sensación casi física a la que llamó, en
secreto, deseo de hijo.

Diario 3

Mi amiga L. vivió quince años en París. Yo sabía que en algún momento había trabajado como niñera de las hijas de un embajador africano. Esa experiencia podría haber reavivado en mi personaje el deseo de tener hijos. Empecé a escribir el capítulo sin hablar con L. Mi embajador imaginado estaba casado con una compatriota, tan negra como él, y también era negro todo el personal de la casa. Yo quería que mi amiga me contara su experiencia real pero L. es muy reservada, no habla mucho de su vida en París, y temía molestarla con mis preguntas. En realidad, odio interrogar a la gente, por más que la experiencia me haya enseñado que ninguna historia inventada es tan fascinante y tan poco convencional como la realidad.

Finalmente nos encontramos en un café famoso por la calidad y variedad de su tortas. Estábamos en 2012 y ya no se usaba en Buenos Aires la palabra *confitería*, que hubiera descripto el lugar quizá con más precisión. Con cada café nos trajeron una pequeña y deliciosa muestra de la repostería de la casa. Mientras la mousse de chocolate se nos deshacía en la boca, descubrí todo lo que L. había olvidado. Habían pasado treinta años y mi amiga no recordaba cómo había conseguido el trabajo, dónde quedaba el piso del Embajador, a qué país representaba. Sólo recordaba que el inglés era su lengua nativa. En cambio se acordaba muy bien de su esposa peruana y me contó que todo el personal de servicio era blanco, como solía suceder en otras embajadas africanas. Me pareció razonablemente justo.

Las chiquitas, en realidad, no eran mellizas, sino que tenían tres años de diferencia: la mayor tenía cinco años. L. presenció con culpa, con humillación y con miedo, la escena del castigo. Renunció poco después, aduciendo motivos personales.

Deseo de hijo

En los seres humanos el deseo de reproducirse no constituye un hecho biológico, instintivo, sino una intención relacionada con ciertas exigencias sociales, que puede aparecer a cualquier edad o nunca. Y sin embargo, cuando una mujer comienza a sentir claramente, como un llamado, el deseo de hijo, muy pronto ese deseo se vuelve necesidad. Aunque se inicie como un mecanismo mental, una decisión que podría considerarse voluntaria, se traslada a continuación a todo el cuerpo, comienza a percibirse como si fuera un vacío que late en la sangre al ritmo del corazón. En el cuerpo humano no hay cavidades que se mantengan abiertas como cavernas, como huecos, los órganos se acomodan ocupando todos los espacios disponibles, la carne se cierra sobre sí misma, no existen los espacios vacíos. Y sin embargo la mujer comienza a percibir la sensación de que un gran agujero le atraviesa el vientre atrayendo vientos helados que la cruzan de parte a parte, casi no reconoce sus brazos como propios, cuando camina por la calle los siente cayendo inútiles a los costados del cuerpo, le duelen los pechos como si se estiraran y se alargaran hacia adelante, y todo lo que ve a su alrededor se convierte en un símbolo que la remite a su deseo, que la encierra en él.

Un hijo. Esmeralda quería tener un hijo y por primera vez se dio cuenta de la cantidad asombrosa de

mujeres embarazadas que veía por la calle, aun en
París, aun en Francia, donde la baja tasa de natalidad
preocupaba al Estado. Incluso las que no parecían obviamente embarazadas podían estarlo. Esmé miraba
con envidia los vientres abultados y buscaba en las
caras de las demás mujeres, las que no tenían nada
que exhibir, cierta sonrisa, cierta mirada, esos signos
siempre dudosos, imposibles de comprobar, diferentes para cada grupo cultural, que la sociedad imagina
típicos de las embarazadas recientes.

Las parejas de sus amigos y conocidos habían sufrido los embates del exilio. Algunas se habían conso-
lidado como nunca, otras se habían roto y se habían
producido nuevas combinaciones en las que además
de argentinos y latinoamericanos participaban algunos franceses, por lo general de provincias, con algo
de exiliados también en esa ciudad que atraía con
fuerza brutal y los recibía a medias. O bien franceses
y francesas hijos de inmigrantes y dispuestos, así, a
aceptar con más amplitud las diferencias culturales
y el francés imperfecto, irritante, de los extranjeros,
su dificultad para entender ciertos chistes y juegos de
palabras. O bien franceses (entre los que podía haber
también hijos de inmigrantes o provincianos) fascina-
dos por el exotismo de esos latinoamericanos a los que
consideraban tan *decontractés*, tan libres, tan alegres,
tan buenos bailarines, tan espontáneos (los chilenos,
los argentinos, los uruguayos, se miraban divertidos y
asombrados cuando escuchaban esta extraña descripción en la que no se reconocían del todo).

Lo cierto es que las viejas parejas consolidadas y las
nuevas parejas reconstruidas estaban empezando a tener hijos; con la estabilidad y la mejora laboral llegaba

para algunos el primer hijo y para otros, los que habían
entrado al país con un bebé o con un niño pequeño,
empezaba la segunda vuelta, la posibilidad o la necesidad de lanzar al mundo una nueva vida, en desafío a
tanta muerte como la que habían dejado atrás.

En el minúsculo departamento de su amiga
Bibiana, que había llegado a París con su marido pocos meses después que ellos, Esmé alzó en brazos al
bebé recién nacido, respiró hondo ese olor hecho de
regurgitación y orina, agua de colonia y sudor, olor a
caca y a ropita recién lavada, y se echó a llorar.

Diario 4

Ya no falta mucho para que mis personajes se vayan de Francia. Ahora es tal vez el momento de informar sobre algunos detalles de mi propio paso por París, que no debería confundirse con exilio. Nunca estuve exiliada en Francia (ni en ninguna otra parte). Nunca fui militante ni tuve que escapar del país por otras razones (las hubo, y muchas). Mi marido y yo viajamos a París en 1976. Vivimos allí durante seis meses, en un estudio de la rue Saint-Jacques, frente a la iglesia de Val-de-Grâce. Dedicamos otros tres meses a viajar por Europa y visitar a mi hermana, que estaba ya exiliada en Chicago, y en 1977, uno de los años más terribles de la dictadura, volvimos a Buenos Aires. Extrañábamos mucho. Nueve meses fuera de nuestro territorio, de nuestro idioma, de nuestro mundo, nos sirvieron para comprender las penas del exilio, la desdicha de ser extranjero, la nostalgia cotidiana de las pequeñas cosas.

En París trabajé como periodista para la corresponsalía de la editorial Cambio16, gracias a un periodista argentino al que no conocíamos y que se convirtió desde entonces y para siempre en un queridísimo amigo. Pero yo no escribía para el prestigioso periódico español, sino para una revista de destape que se llamaba *Almanaque*. Había muerto Franco y los españoles estaban comenzando a descubrir que el sexo podía ser un pecado y no solamente un milagro. Para *Almanaque* investigué y escribí sobre el movimiento de prostitutas de París, que luchaban, en ese momento, por su derecho a constituir un sindicato, escribí sobre las partuzas que se organizaban de auto a auto en la place Dauphin y sobre el cine pornográfico, que comenzaba a desarrollarse en Francia, donde había una producción importante y varias salas triple X. El cine porno enloquecía a los españoles, que cruzaban la frontera para ver películas prohibidas en Perpignan. También trabajamos, mi marido y yo, para una periodista francesa que no escribía bien en español y tenía la corresponsalía de varias revistas argentinas. Yo hacía de *ghost writer*: le preparaba los cuestionarios, ella contactaba al entrevistado/a, realizaba el reportaje, me daba las grabaciones y yo escribía la nota. Mi marido tomaba las fotos.

Alcira y León

Los padres de Guido no tenían dinero para ir a visitarlos a París, o quizá sí lo tenían pero preferían usarlo de otro modo. Guido tenía muchos hermanos que se reproducían, desaprensivos y felices, en la ciudad de Santa Fe. Lejos del ambiente intelectual, lejos de la militancia, apenas se enteraban de lo que preferían no saber. Mandaban cartas breves y esporádicas, casi saludos, en las que hablaban del nacimiento de sus hijos, de sus trabajos y proyectos. Las cartas de la mamá de Guido empezaban con un breve recuento de sus males (dolor en las articulaciones, sobre todo en la inserción del pulgar, una hernia de hiato, sinusitis), rebosaban de nietos, pañales y mocos y jamás dejaban de incluir dos o tres anécdotas aburridísimas en que los sobrinos de Guido habían dado respuestas que sólo su abuela podía considerar ingeniosas, inesperadas e incluso geniales.

Las cartas de la madre de Esmé estaban dedicadas, sobre todo, al clima y los paisajes.

Hoy hace 20 grados, un día muy fresco para diciembre. Se está escondiendo el sol, hay nubes rosadas y rojas muy lindas. Por la ventana veo los edificios del barrio, un espectáculo bastante deprimente. Si yo fuera intendente, obligaría a los consorcios a pintar los frentes.

Y Esmé no tenía dudas de que lo lograría. Su madre tenía un talento natural para ejercer la autoridad. Al final venía una frasecita cariñosa de su papá, que no sabía ni podía llenar una página de palabras que no decían nada y escribía siempre en mayúscula porque se avergonzaba de su letra.

Ilusión, expectativa, decepción y desconsuelo era la progresión normal con que Guido y Esmé recibían, abrían y leían esas cartas que llegaban (o no llegaban) al buzón del departamento tres veces por día.

Por eso resultó tan inesperada la visita de los padres de Esmé, a pesar de haber sido muy anunciada. Era su primer viaje a Europa. Iban a Italia y a Inglaterra, pasarían unos días por París.

En esos días Guido manejaba una combi casi nueva, de color azul metalizado, recién llegada de Amsterdam, y Esmé, obsesivamente atenta a la mirada de su madre, se sintió orgullosa de tener algo que mostrar. Había limpiado con esmero el estudio y estaba lista para soportar comentarios malignos o sarcásticos pero no para la premura con que su madre preguntó por la heladera y metió adentro un paquete envuelto en papel metálico. Esmé se alegró, en todo caso, de tener una verdadera heladera, en lugar de la bolsa de plástico atada a la reja de la ventana que les había permitido pasar el primer otoño, el primer invierno en París, sin necesidad de meterse en gastos.

—Así que éste era el famoso estudio —dijo Alcira.

Y aunque no había sorna en su voz, Esmé sintió, de todos modos, que la visita comenzaba a encarrilarse por caminos previsibles. Se sintió casi aliviada.

—Qué lindo —dijo León, con indiferencia. Y se sentó en la cama, que de día, con almohadones, se convertía en sillón. Una tela gruesa y negra que colgaba del techo separaba el espacio que Guido dedicaba a la pintura, pero no detenía el olor que Esmé, casi acostumbrada, sentía ahora en toda su maldita fuerza.

Sólo entonces Esmé vio realmente a su padre, a quien había abrazado tanto que casi no había tenido distancia como para mirarle la cara. Le llamaron la atención los ojos acuosos, el vientre prominente, las facciones abotargadas. Estaba viejo, era viejo, mucho más de lo que correspondía a los años transcurridos, mucho más de lo que mostraban las malas fotos polaroid que les mandaban de vez en cuando.

—A ver, ¿dónde puedo hervir agua? —preguntó Alcira.

Y mientras ponía a hervir la jeringa y la aguja, le contó a Esmé lo que no decían los paisajes tan bien descriptos en sus cartas, lo que nunca había querido contarle por teléfono en esas llamadas escasas, confusas, con ecos y ruidos en la línea, que no servían más que para asegurarse de que todos estaban vivos. Desde hacía un año sabían que León era diabético, no fue posible controlar la enfermedad con dieta, ahora era insulinodependiente.

—Por suerte en el avión nos pusieron el paquete en la heladera. Por suerte no: porque llamé con tiempo a la aerolínea.

Alcira y León se quedaron sólo cuatro días en París. Muy poco, pero lo suficiente como para que Esmé pudiera comprobar hasta qué punto sus vidas se habían convertido ahora en el resto de sus vidas, hasta ese punto habían sido moldeadas por la muerte de su hermana. Utilizando todos los recursos de su voluntad, que no eran pocos, su madre se aferraba a la realidad como un ave rapaz a su presa: con esas garras. Estaba concentrada en vivir a toda costa, en darle sentido a cada uno de sus actos. Su voz era más enfática, su inteligencia estaba dedicada a encontrar razones para seguir adelante, para respirar, para enojarse, para reír, para hacer un café.

—¡Hay que pasarla bien! —decía.

Y con una energía feroz arrastraba a su marido, su hija y su yerno a todas las actividades que los manuales de turismo proponen como obligatorias. En cuatro días Guido y Esmé fueron a más restaurantes de los que habían conocido en tres años, dieron una vuelta en *bateau-mouche*, uno de esos barquitos que paseaban contingentes de turistas por el Sena, visitaron museos, palacios, monumentos y hasta fueron una noche a ver el espectáculo del Crazy Horse, donde mujeres jóvenes y desnudas hacían lo posible por eclipsar la antigua tradición turística de visitar el Lido. (Pero nunca, en los cuatro días que compartió con ellos, mencionó Alcira la palabra nieto, y ese silencio cuidadoso, protector, calculado, hacía que Esmé se sintiera casi desahuciada.)

—Mi ginecólogo estuvo en París. Le pregunté si había ido al Crazy Horse y me dijo: «¿Mujeres desnudas? ¡No! ¡Yo no trabajo en vacaciones!»

Alcira contó esta anécdota muchas veces, siempre riéndose como si fuera la primera, con una carcajada forzada y estruendosa que su marido acompañaba como podía.

El padre de Esmé, en cambio, estaba vencido. Sus ojos celestes, siempre un poco enrojecidos, miraban sin ver. Lo único que le interesaba era la comida, en

particular la que tenía prohibida. Su mujer le controlaba la dieta con enloquecida obsesión, con la misma
concentración atroz con la que hacía todo lo demás.
Él elaboraba artimañas de todo tipo, simples y complejas, para escapar a ese control. Los padres de Esmé
habían desarrollado, como cualquier pareja de largo
alcance, una sutil relación de poderes, la madre im-
ponía su personalidad arrasadora, pero el padre hacía
valer hábilmente la fuerza de su debilidad. Ahora esa
complejidad, esa sutileza, se había achatado, simplifi-
cado, y todo el interjuego de la pareja había quedado
reducido a una fórmula única: comer o no comer. Por
supuesto, cada vez que se sentaban en el restaurante,
se producía una situación penosa.

—Elegí bien —le advertía Alcira cuando les daban
el menú.

—Elegí vos —contestaba León de mal humor.

—¡Ya sabés que esto no! —gritaba Alcira, cuando
la mano de León comenzaba a arrastrarse disimulada-
mente hacia la panera.

Una vez llegó a pegarle en la mano que abrazaba ya
la rebanada de pan tibio. León soltó el pan y Esmé, un
poco asustada, miró a Guido, que había dado vuelta la
cabeza y miraba aplicadamente para el otro lado.

En general, cuando su maniobra era descubierta,
León cambiaba imperceptiblemente la dirección de
la mano y se rascaba el brazo con entusiasmo, como
si nunca hubiera pretendido otra cosa. Toda su energía de vivir estaba concentrada, ahora, en engañar a
su mujer cada vez que podía. Ante los ojos angus-
tiados de Esmé, aprovechaba el momento en que su
madre iba al baño para zamparse un pedazo de pan.
Los dos llevaban siempre encima unos terrones de

azúcar, por si fuera necesario actuar en una crisis de hipoglucemia. Alcira controlaba un par de veces por día que León no se los hubiera comido y a veces sucedía.

—¿Vamos a tomar un cafecito juntos? ¿Los dos solos, vos y yo? ¿Nos dejás, Alcira? ¿Como hacíamos antes? —le propuso su papá a Esmé el segundo día.

Esmé sintió un ramalazo de alegría. Salieron los dos del brazo, Esmé tan orgullosa de poder mostrarle a su padre sus progresos en el francés, su familiaridad con el barrio, con el vendedor de pollos (al que le compraba día por medio *un petit poulet, coupé en morceaux*), con el mozo del café de la esquina, con la ciudad. Apenas se sentaron, León pidió un helado.

—¿Podés, papá?

—¡Seguro! Se aumenta un poquito la dosis de insulina y ya está.

Todo el peso de la conversación recayó sobre Esmé. Su padre se limitaba a mirar al camarero con urgencia, con desesperación. Cuando le trajeron el helado se dedicó a saborearlo como si esa copa de vidrio contuviera el sentido del universo.

—Se llevaron a toda la familia Kamensky —dijo, entre una cucharadita y otra—. Padre, madre, dos de los hijos. Uno alcanzó a escaparse a Bolivia y de ahí a España.

—Sabíamos. La gente que viene nos va trayendo noticias.

Con un trozo de helado en la boca, León inició un proceso de absorción lento, en el que la lengua cumplía un rol importante. A la vuelta se compró un *beignet* de chocolate en la panadería de la esquina y casi se atragantó tratando de terminarlo antes de entrar a la casa.

Esa noche el azúcar en sangre midió mal. Alcira aumentó un poco la dosis de insulina y miró a su hija de mala manera.

—¡No lo cuidaste! —dijo

—Es un adulto, mamá. A veces parece que te olvidás.

Y ese pequeño diálogo trajo a la presencia de todos el gran tema, el que estaban evitando, el nombre que no se pronunciaba. También ella era, había sido, una joven adulta. ¿Acaso yo soy el guardián de mi hermano? ¿De mi hermana? ¿De mi hija? Nadie había culpado jamás a Esmé. Alcira y León habían evitado cuidadosamente culparse entre ellos y sin embargo todo el peso de la culpa estaba allí, asfixiándolos.

Y como no la mencionaban, la ausencia de Regina se hacía más grande, por momentos insoportable, absorbía todo el aire, todo el oxígeno disponible. Otra vez, como siempre, quizá, sus padres estaban pendientes de su hermana, sintió Esmé. Y tuvo que hablar, para que no le estallara el pecho.

—¿La extrañan mucho?

Su madre la miró con sus ojos sabios, profundos. Le acarició la cara con una dulzura dolorosa y en su respuesta se reveló otra vez exigente, inteligente, maravillosa y terrible, capaz de saltar por encima del cerco de palabras para entrar en los campos del sentido.

—No estés celosa de los muertos, mi vida —le dijo, apretándole fuerte la mano—. Más te extrañamos a vos, que podrías estar con nosotros y no estás.

Diario 5

Estoy terminando, casi un mes después de haberla empezado, la novela *Vida y destino*, de Vasili Grossman. Mil páginas de guerra, sitio de Stalingrado, estalinismo, denuncia. Pero al mismo tiempo, y en contradicción con su contenido, desde el punto de vista artístico, una novela estalinista: realismo socialista en su estado más puro. Una novela grande, poderosa, curiosamente anticuada. Una novela total, en que el narrador lo sabe todo acerca de los protagonistas, pero además, *lo cuenta todo*, absolutamente todo. Tantos personajes y situaciones que apenas puedo recordarlos. Algunos los he olvidado por completo y no consigo reconocerlos cuando el autor los retoma, otros no ocupan más de una página y sin embargo se los conoce con su aspecto físico, su personalidad, con su pasado y su futuro.

No es ésa la novela que quisiera escribir, a pesar del respeto que me suscita. Me inclino por la elisión, la ambigüedad, las pocas pinceladas que dejan adivinar el resto. Pero no dejo de preguntarme por qué me cuesta tanto ponerle nombre y apellido a mis personajes y cuando lo consigo me siento casi como si me estuviera traicionando a mí misma. ¿Cuál es la dificultad? ¿Por qué mis personajes no tienen cara, por qué no quiero (considerando que, evidentemente, podría hacerlo) describirlos físicamente? Guido y Esmé todavía no tienen apellido. ¿Debería elegir

un apellido judío? ¿Italiano? ¿Dudoso? Y en cada caso,
¿por qué? De pronto he comprendido que la hermana
de mi protagonista no se llamaba Gloria, como lo había
decidido al principio, sino Regina. El nombre se me presentó de improviso, mientras viajaba en el subte, como
una necesidad absoluta. La computadora facilita estos
reemplazos.

Pero sobre todo, ¿qué contar? A cada paso me lo
pregunto, tan poco *natural* es la escritura. ¿Debería escribir más sobre la pareja de Guido y Esmé? ¿Debería
contar cómo son sus relaciones sexuales, su evolución,
sus fantasías? ¿Qué es lo que a cada uno le da placer,
cuáles son sus decepciones, qué es lo que cada uno
espera del otro inútilmente? ¿Debería saber el lector si
Esmé es alta o baja, de qué color son sus ojos, debería
conocer sus recuerdos de infancia? ¿Tengo que escribir
acerca de sus creencias religiosas? ¿Es posible contarlo
TODO? ¿Debería proponérmelo?

La decisión

Esmé y Guido caminan por la calle de la Harpe, sinuosa y brillante. Es de noche, un frío estimulante les enrojece las mejillas. La calle está colmada de gente joven que hace cola a la entrada de los cines y llena los *bistrots*. Están contentos de vivir en París. El aire huele a *crêpes* y castañas asadas.

—Me cuenta Liliana que en Seattle la gente se encierra en su casa a partir de las cinco de la tarde. Calles vacías. Nadie camina. Así vayas a tres cuadras, es en auto —dice Esmé.

—Aquí, en cualquier barcito de morondanga, la comida es rica. Si pedís papas fritas, ¡qué papas fritas! —dice Guido, acompañando la ola de satisfacción.

El frío es algo más que estimulante y la temperatura se ha mantenido todo el día en los mismos valores. El día amaneció con tres grados. Al mediodía, con el cielo tan nublado como siempre, seguía haciendo tres grados, a media tarde tuvieron tres grados y ahora, a las once de la noche, la temperatura estaba aproximadamente en los tres grados. Con los años, en lugar de acostumbrarse, Esmé sufre el frío cada vez más.

—¿Y a vos no te pasa? —insiste.

—No me pasa qué —dice Guido, como si no supiera.

—Ganas. De tener hijos.

—Sí, pero por un ratito, ¿sabés? Porque, ¿y si des-

pués me canso? ¿Y si cambio de idea y ya está hecho?
Lo hablamos mil veces, Esmé, ya vendrá pero todavía
no me siento…

—No tenés que sentirte nada. Es algo que pasa. Es
algo de la naturaleza…

—Pero vos y yo no creemos en la naturaleza, Esmé.
Somos seres humanos, seres culturales, ¿no? Yo pien-
so en la palabra PADRE y la veo con letras mayúsculas,
tan grande, tan importante…

—Por tu padre no será —pincha Esmé.

—Por el padre que me gustaría ser —evita Guido.

Una repentina ráfaga de viento le da pie a Esmé,
que ha perdido esta escaramuza pero no la guerra, para
cambiar de tema.

—¡*Moi* frío, *moi*! —se queja.

—Ponete mi campera —dice Guido, amoroso, pa-
ternal, compensatorio.

Esmé comprueba el abrigo de Guido, que además de
los calzoncillos largos y la camiseta de frisa lleva puestos dos pulóveres y la bufanda. Está bien, puede aceptar
la campera sin grave daño para la salud de su marido.
Ya están cerca del estudio y vuelven a congratularse
mutuamente de la felicidad que les produce París. Ella
se alegra de que todo sea tan lindo, de que la belleza de
la ciudad les corte el paso, de que no sea necesario ir a
buscarla, estás en cualquier lado, mirás alrededor y ya
está: ¡hermoso! Él recuerda muchas zonas de la ciudad
que no tienen nada de hermoso pero no lo dice, sabe
que ella también sabe. Se alegra, entonces, en voz alta,
del estímulo artístico, de lo que significa vivir en una
ciudad donde uno puede encontrarse con gente de todo
el mundo con la que comparte miradas, intereses.

Esmé se arrebuja en la campera de Guido, mete la

mano en el bolsillo y tantea un paquetito incómodo, sorprendente. Una cajita rectangular. La saca, la mira. Es una caja de preservativos. La sacude sin pensarlo. Las arandelas de látex, cada una en su bolsita de nailon, chocan contra el cartón produciendo un sonido opaco. Faltan unos años para que comience plenamente la era del SIDA, por el momento los preservativos sólo se usan para evitar embarazos en situaciones de emergencia. Esmé usa diafragma, con una maldita crema espermicida que funciona como un caldo de cultivo para los hongos, que a su vez la obligan a introducirse óvulos fungicidas. El diafragma debe quedar colocado hasta diez horas después de la relación sexual. Esmé lo odia. Ahora levanta la cajita y la exhibe con horror.

—¿Qué?…

—Nada, no, es porque… Es que… ¡Quería darte una sorpresa!

—¡Ya me la diste!

—Quiero decir… Es para vos. Porque vos siempre protestás contra el diafragma, ¿no? Entonces pensé que podríamos cambiar… De método. Digo. Ja ja. Volver a las fuentes… ¡A la antigua!

Pero ella no sonríe. No parece agradecida por la consideración de Guido, por el simpático regalo. Otra ráfaga helada la hace tiritar dentro de la campera. No habla. No se le ocurre nada que decir. A pesar de los guantes, tiene frío en las manos, pero no se atreve a meterlas otra vez en los bolsillos. Mira a Guido con intensa atención, como un pintor que estudia la cara de su modelo.

—Pero ¿sabés qué? —con una inspiración súbita, Guido cambia de táctica—: ¡Ya no nos va a hacer falta!

Le arrebata la cajita de las manos y la tira sin contemplaciones en una alcantarilla.

—Porque vamos a tener un hijo —asegura, con entusiasmo.

—¿De verdad? —Esmé casi no se atreve a creerlo.

—De verdad. Tenés razón. Tengo que crecer de una vez. Ya es hora.

—¿Aquí? ¿En París? ¿Un hijo francés?

—No, claro que no. ¿Vos querés un hijo francés? ¿Para que nazca con anteojitos redondos y sin marco?

—¡Y con los labios finitos! —Por primera vez desde el hallazgo, Esmé se está riendo.

París es sin duda un lugar hermoso, pero están hartos de ser extranjeros. Extrañan Buenos Aires. Extrañan incluso aquello de Buenos Aires que odiaban o creían odiar. Las veredas rotas con baldosas acanaladas. El olor a pizza. Los árboles: esos árboles y no otros. Los taxistas siempre curiosos, con ganas de conversar. La gente. Su gente querida en particular y la gente de Buenos Aires en general.

Así, en dos palabras, acaban de tomar varias decisiones fundamentales en sus vidas. Tener un hijo, volver a la Argentina. Lo han conversado otras veces. Perdida la Guerra de Malvinas, la dictadura se derrumba. Guido, que nunca fue militante, y Esmé, que fue una pieza menor en la militancia universitaria, ya no se sienten en peligro.

El frío vuelve a ser alegre, estimulante. Esmé mira otra vez a Guido con intensidad, pero de un modo completamente diferente, como si estuviera tratando de adivinar en su cara cuáles serán los rasgos que va a heredar ese hijo que por el momento está hecho sólo de palabras. Mientras se abrazan y se besan, Esmé trata de olvidar que la cajita de preservativos estaba abierta y casi vacía.

Diario 6

Dudas, dudas, dudas. Quiero contar esta historia desde el punto de vista de Esmé. ¿Debería optar por la primera persona? La primera persona me gusta mucho. Me fascinan sus límites, todo lo que ignora. La primera persona no puede ver más allá de su campo visual. No sabe (no sabemos) lo que sienten o piensan los demás. No conoce (no conocemos) más que a sí misma. Siento, además, que esa elección me permitiría enriquecer al personaje con un tono de voz particular, me daría más libertad para ahondar en su memoria.

En cierto modo, por el tono, por la época, esta novela es hasta ahora casi una continuación de otra de mis novelas, *Los amores de Laurita*. Laurita está contada en tercera persona, aunque el efecto confesional es tan abrumador que nadie se da cuenta. Sólo he usado, hasta ahora, la primera persona, para las novelas narradas desde un hombre: *Soy paciente* y *La muerte como efecto secundario*. Por alguna razón inversa, ese recurso me permite separarlas más de mí.

Elementos autobiográficos: los hay, pero el lector no tiene por qué saber cuáles son.

Si finalmente me decido por la primera persona y reescribo todo desde esa perspectiva, ¿qué hacer con este texto?

La búsqueda

Había una vez un rey y una reina que no podían tener un hijo y sólo en las culturas poligámicas quedaba públicamente en evidencia la esterilidad masculina. Para todas las demás, la mujer era la única responsable. Los chamanes guaraníes hacían ingerir a las mujeres polvo de rana, los sioux les introducían piedras con forma de falo, en Asia y África se utilizaban como remedio hígado, garras y huesos de tigre, o cuerno de rinoceronte. Los egipcios proponían verter sandía con leche sobre el cuerpo de la mujer mientras el hombre la penetraba. Los griegos suponían que cuando el cuello del útero estaba demasiado cerrado era posible abrirlo con una mezcla de nitro rojo, comino, resina y miel. Usaban también una técnica que consistía en dilatar el cérvix para insertar una sonda de plomo y verter en el útero sustancias emolientes. En Roma las patricias jóvenes acudían al templo de Juno para asegurarse su embarazo. Desnudas y postradas, eran flageladas por los sacerdotes del dios Pan con un látigo hecho de cuero de macho cabrío. En el siglo XIII el médico valenciano Arnau de Villanova insertaba un diente de ajo en la vagina; si el olor se transmitía a la boca de la mujer, su fertilidad quedaba demostrada. La frialdad de la mujer era tan culpable como los excesos del deseo. Ambroise Paré, en el si-

glo XVI, insistía en la dilatación del cérvix. Las mujeres hebreas seguían y honraban a los tzadikim mila-
grosos, las mujeres hindúes seguían y honraban a los
derviches, las mujeres cristianas rogaban a los santos,
a la virgen, al Señor, todas escuchaban con unción los
cánticos y conjuros destinados a devolverles la fertilidad, ataban piedras con lana roja, besaban culebras,
permanecían encerradas haciendo ayuno mientras
duraba la menstruación, bebían o se insertaban pó-
cimas a veces inocuas y a veces tan peligrosas como
la que mató a la Eusebia, la emperatriz de Bizancio.
Había una vez un rey y una reina que no podían tener un hijo y la conciencia de esta realidad, aunque
hubiera cobrado forma lentamente a lo largo de los
años, los tomaba siempre de sorpresa, les parecía tan
increíble, tan inesperado, tan injusto.

Para Esmé, la histerosalpingografía es lo peor. Está
en la camilla, con las piernas abiertas y atadas, mientras el médico inyecta con fuerza el líquido de contraste (dolor) que atraviesa el cuello del útero (dolor) llena el útero mismo (dolor) y avanza o debería avanzar
penosamente por las trompas, provocándole el dolor
más violento que haya sentido en su vida. Lanza un
grito descontrolado y la vista se le nubla. El médico se
oculta detrás de la pared de plomo que protege (¿injustamente?) sus propios genitales. Esmé escucha el clic
de la radiografía. A continuación, se le permite entrar
a Guido, que le acaricia la frente muy asustado. Esmé
no llegó a desmayarse. Ahora se incorpora un poco y
vomita en el suelo.

La histerosalpingografía es el nombre ridículo (que
nunca olvidará) de la radiografía de útero y trompas
y sin duda, hasta ahora, es lo peor. Mucho peor que

la pequeña indignidad de tomarse todas las mañanas la temperatura rectal. Mucho peor que contestar a las preguntas invasivas del doctor Silverberg. Durante un tiempo Esmé creyó que no había nada peor que haber olvidado o dejado de lado la función primordial del sexo, que es el placer, para convertirlo en una tarea, en un deber pautado por la columna mercurial del termómetro, el deseo transformado en obligación, la intensidad y el temblor puestos en el resultado. Durante un tiempo creyó que era todavía peor comenzar a sentir los síntomas, la tensión en los pechos, el dolor en los muslos, los espasmos en el bajo vientre, tratando de no perder la ilusión, tratando de persuadirse de que los síntomas de embarazo son tan parecidos, son así, son iguales, tratando de persuadirse de que esas primeras gotas de sangre, precisamente en esa fecha, pueden deberse a que se está implantando el embrión, y acaso no hay tantas mujeres que siguen menstruando durante un tiempo o a veces durante todo el embarazo, pero no Esmé, ella no, y la sangre, entonces, tradicional, amarronada primero, enrojeciendo de a poco a medida que aumenta su caudal, los coágulos después, y la ilusión hecha harapos, convertida en decepción, en tristeza, destrozada otra vez la ilusión en el antiguo manantial de su sangre.

Pero la histerosalpingografía es todavía peor. Con la única ventaja de que no se repite. Esmé tiene la esperanza (va de esperanza en esperanza) de que no sea necesaria la insuflación, esa inyección de dióxido de carbono que se emplea, en ese momento de la medicina, para determinar si las trompas de Falopio son permeables o están obstruidas y para destaparlas si fuera necesario. ¡Ah, qué sinfonía la de sus trompas! En

Pedro y el lobo (sus padres se la hacían escuchar una y otra vez en su infancia, con la firme determinación de despertar en ella la sensibilidad musical) las trompas son siniestras, amenazadoras, temibles: interpretan al lobo.

Guido y Esmé se habían presentado por primera vez en el consultorio del doctor Silverberg casi convencidos de que se trataba de una visita prematura. Después de todo, hacía sólo seis meses que estaban buscando sin resultados ese hijo que hasta entonces evitaban con todo cuidado. Pero el médico no consideró los seis meses de búsqueda sino, ofensivamente, los dos años de casados. Los llamó «pareja infértil» y ese nombre vergonzoso, que jamás se hubieran dado a sí mismos, ese nombre que los aunaba en el fracaso, fue lo que anotó en la ficha.

Y sin embargo, la parsimoniosa lentitud con que avanzaba el diagnóstico le hizo comprender rápidamente a Esmé que se trataba, sobre todo, de dejar obrar a esa entidad misteriosa que aparentemente no era posible endilgarle al ser humano, la vieja, negada, incomprensible naturaleza. No era tanto lo que podía hacer la medicina si la naturaleza no quería. La poco confiable curva de temperatura era la única forma de saber si había ovulación. Esmé se tuvo que acostumbrar a no levantarse de la cama cuando se despertaba sin antes insertarse el termómetro, esperar un par de minutos, anotar. Unos tres meses se fueron en calcular la curva, en asegurarse la duración de los ciclos. En esa primera etapa de la consulta, se estudiaba sólo a la mujer. Cuando la mujer era joven, los análisis, radiografías, estudios, se sucedían lentamente, visita a visita, dándole tiempo a la casualidad o a la suerte: a la naturaleza. Muchos meses, a veces años después, los médicos se decidían a pedir un espermograma.

Como cualquier mujer, como las reinas, las campesinas y las esclavas, como millones de mujeres a lo largo de la historia, Esmé avanzaba a través de los laberintos de la ciencia, a través del dolor, de la indignidad y los castigos, sostenida por ese afán quizá biológico, quizá cultural, que parecía ahora abarcar toda su vida: el deseo de hijo.

La histerosalpingografía es lo peor pero también lo más efectivo. El resultado muestra que el útero está intacto, sin bridas ni colgajos. Una de las trompas está obstruida. A la otra la ha destapado, probablemente, la presión del líquido de contraste. No es necesario hacer una insuflación porque unos días después del estudio Esmé queda embarazada.

Diario 7

Una utopía relata o describe una sociedad maravillosa y perfecta. Una distopía elige como tema el peor de los mundos posibles. Una ucronía avanza por líneas temporales alternativas y contemporáneas: cómo sería nuestro mundo, por ejemplo, si los nazis hubieran ganado la Segunda Guerra. Esta novela está comenzando a funcionar como una suerte de ucronía personal, una autobiografía alternativa. Qué me hubiera pasado si. Aunque su historia sea diferente de la mía, el personaje de Esmé se parece bastante a un *alter ego* de su autora (no exactamente a mí, que no soy más que otro *alter ego*, similar y mentiroso).

Algunas dificultades con las que tropiezo (me caigo, me levanto, sigo penosamente hacia adelante): otra vez, como siempre, sé lo que dicen los personajes, puedo contar lo que les pasa, explicar o mostrar su interacción. En cambio me resulta imposible describir en una primera versión los lugares, objetos, ambientes. Al principio mis personajes no están en ningún lado, como esos dibujos infantiles en los que, por falta de línea de horizonte o, por lo menos, de objetos que los aten a la tierra, los monigotes parecen quedar flotando en la hoja de papel. Por suerte soy consciente de esa falencia y en la segunda vuelta agrego algunos de los elementos que hacen falta para ubicar a los personajes, atarlos al mundo que los rodea.

Guido y Esmé todavía no tienen apellido. En mi primera novela, el protagonista ni siquiera tenía nombre. ¡Ah, qué placer! No lo necesitaba.

En casa

Mientras buscaba un hijo con aplicación y en secreto, Esmé volvió a su antiguo trabajo de redactora creativa, del que se jactaba de haberse librado y que en realidad extrañaba muchísimo. Ojalá hubiera sabido suficiente francés como para trabajar en una agencia de publicidad en Francia. En hojas sueltas que nunca le había mostrado a nadie, ni siquiera a Guido, Esmé había intentado redactar avisos gráficos como los que estudiaba con atención en las revistas y los diarios franceses. Pero un buen aviso publicitario exige un dominio de la lengua que incluye la conciencia de sus niveles, las diferencias entre el lenguaje escrito y oral, las fórmulas formales y el argot callejero, el recuerdo de las palabras que estaban de moda en la generación anterior, los neologismos que están incorporando los muy jóvenes, el conocimiento de las nanas infantiles, de los dichos y refranes, de las canciones populares, la sutil combinación de juegos de palabras y una compenetración con la historia y la cultura que no se adquiere en pocos años, que un extranjero, a veces, no llega a adquirir nunca.

A partir de la Guerra de Malvinas, gracias, tal vez, a la Guerra de Malvinas, la dictadura se estaba resquebrajando. El último general que había asumido la presidencia se había visto obligado a llamar a elecciones.

Por fin, después de muchos años, la propaganda política volvía a cubrir de afiches las paredes de la ciudad. Los diarios, la radio, la televisión, estaban impregnados de política.

Cuando se trata de política, la palabra no es *publicidad* sino *propaganda*. Los partidos o los candidatos pagan por adelantado, porque las agencias (y los medios, y las productoras de cine y los fotógrafos y toda la bandada de pequeños vampiros que se alimentan de sangre política en el año electoral) tienen que asegurarse su dinero aunque el candidato o el partido pierdan las elecciones.

Esmé empezó a trabajar otra vez en una agencia, formando parte de un equipo dedicado a atender una cuenta política, un partido muy pequeño, casi familiar, pero con mucha historia y con ínfulas de poder. Varios hermanos se reunían alrededor del patriarca, un economista de fuste que se jactaba de haber sido capaz de detectar y denunciar a tiempo cada uno de los abismos económico-políticos en los que el país había caído por no escuchar a tiempo sus proféticas palabras. Querían que la campaña electoral pivoteara alrededor de ese tema, en el que se sentían sólidos. Era inútil tratar de persuadirlos de que la gente no vota por los pájaros de mal agüero. Pero además (y esto no se podía mencionar) nadie que hubiera profetizado catástrofes y calamidades en Argentina se había equivocado nunca. El padre, los hermanos, los primos, el resto de los parientes y amigos que, en esencia, constituían el partido, eran personas muy inteligentes, brillantes, con las que era un placer conversar acerca de cualquier otro tema y que estaban curiosamente ciegas con respecto al acontecer político, aunque muy bien situadas con respecto al poder económico. La excelente relación de la cúpula del partido con las grandes empresas del país permitía un constante flujo de dinero que alimentaba la profusa y confusa campaña electoral. Muchos directivos de esas empresas estaban persuadidos de la conveniencia de aportar grandes sumas a la campaña del partido, en parte porque aportaban a todas las campañas de todos los partidos, en parte porque se trataba de gente con poder y relaciones como para beneficiar a la empresa aunque no ganaran las elecciones, pero sobre todo porque la agencia de publicidad les devolvía un alto porcentaje de esas sumas, que iba a parar a sus cuentas particulares en el exterior.

Entretanto, el patriarca y sus hijos parecían haber depositado una confianza infinita en el dueño de la agencia, que los seducía con su apostura física: alto, con cara de prócer y una prematura melena blanca, el hombre sabía cómo enamorar a sus víctimas, que se le entregaban tan gozosas como un macho de mamboretá a su devoradora hembra.

El equipo de campaña incluía dos redactores y un psicólogo especialista en encuestas y en investigaciones de marketing. El dueño de la productora encargada de filmar los cortos para la campaña televisiva era también candidato a diputado. Con su pelo teñido de amarillo y su apostura de dandy de la noche porteña (en el límite del disfraz), producía a gran velocidad, de acuerdo con los pedidos de la agencia (que tenía concretos intereses en cada una de las producciones), una serie inagotable de films que iban configurando poco a poco la peor campaña electoral del año que era, al mismo tiempo, por una hábil combinación de factores, la más cara.

Mientras Esmé volvía a la publicidad como quien vuelve a un viejo amor que jamás hubiera deseado abandonar, Guido se despedía para siempre de la abogacía, como quien se libra de una vez por todas de una equivocada pasión de juventud. En Buenos Aires tampoco le encontraba sentido a seguir fingiéndose pintor. Antes de irse de París había vendido a sus amigos y colegas, en una especie de feria americana, casi todos sus caballetes, pinceles, espátulas, óleos y bastidores.

El contrabando de combis de Amsterdam le había dejado una pequeña suma en francos que en Argentina empezaba a tener significado ahora que había terminado la locura de la plata dulce, esa idea delirante, impulsada por la dictadura y repetida más tarde por algún gobierno democrático, que sirvió para enriquecer a pocos y empobrecer a muchos, esa idea de que el peso argentino podía ser más fuerte, más alegre, más sano y sobre todo más comprador que el dólar. Con ese dinero se asoció a un amigo que intentaba llevar adelante una modesta empresa textil.

Fiel, como siempre, al desarrollo teórico de sus intereses, Guido se convirtió rápidamente en un Verdadero Empresario. Sonriendo compasivo y comprensivo ante sus propios desvíos adolescentes, abandonó la ropa informal, siempre un poco sucia de pintura, que había llevado en París, y empezó a exigir que le tuvieran bien planchadas las camisas. Cambió la marihuana por el Lexotanil, se volvió inesperadamente puntual y compró una cantidad asombrosa de corbatas.

Diario 8

Cito a Erri de Luca, escritor italiano:

> *Me molestan mientras se alargan las páginas no acordarme del nombre de la chica. Cincuenta años de hiato no lo justifican. De ella se me vienen a la cabeza las frases mientras avanzo, se añaden detalles precisos y nada de nombres. Podría encasquetarle uno apropiado, un nombre de la mitología griega, pero me convertiría en uno del oficio, uno que inventa.*
>
> *Como lector olvido enseguida los nombres de una historia. No añaden consistencia y son una convención. Dejo, pues, vacía la casilla del nombre y sigo llamándola la chica porque como niña no la conocí.*

El libro se llama *Los peces no cierran los ojos*. Erri de Luca justifica con elegancia mis dificultades. Si el mismo de Luca, como lector, olvida enseguida los nombres de una historia, ¿para qué hacer el esfuerzo de inventarlos?

Claro que De Luca está relatando sus memorias (o jugando a relatarlas). En este caso, yo soy *una del oficio, una que inventa*. Tengo derecho a darles el nombre y el apellido que se me dé la gana. Y a dejarlos sin nombre o sin apellido si no me interesa mencionarlo. En su infinita búsqueda del *tiempo perdido*, sólo una vez menciona Proust el nombre de su personaje principal.

La prueba olímpica

Esmé creía haber dejado atrás la etapa en que la muerte de su hermana era una quemadura viva, ardiente. No tuvo en cuenta que los años de exilio habían disimulado o atenuado, habían postergado ciertas etapas del dolor.

Regina nunca había estado con ella en París y nada en París se la recordaba. Recién ahora, en Buenos Aires, podía medir el tamaño de su ausencia, que estaba en todas partes. En la plaza donde habían jugado y crecido juntas, en los cafés donde se encontraban al final, en las calles, en los colectivos, en el cine, en los sueños y, sobre todo, en la casa de sus padres. Allí estaba el sillón rojo donde la hacía sentar con los ojos cerrados para empujarla cuando jugaban al Tren Fantasma, estaba la única taza —con dibujos del pato Donald— en la que Regina aceptaba tomar la leche, estaban las colchas a rayas verdes y blancas, con volados, que cubrían las dos camas de la habitación que habían compartido. Estaba ahí, Regina, pesada, insoportable y aparentemente inamovible hasta que a Esmé le empezó a crecer la panza. Y sólo en ese momento, tan lentamente que al principio casi no era posible percibirlo, comenzó a disiparse la monótona presencia de su falta.

Aunque el embarazo parecía eterno, y maravilloso, un estado de gracia que no tenía por qué modificarse

(Esmé y tal vez Guido tenían tanto miedo a lo que venía después), todo lo que empieza tiene que terminar alguna vez. Y así fue como Esmeralda se encontró una noche sintiendo contracciones (así eran las famosas contracciones) cada diez minutos y Guido a su lado, con el reloj en la mano, anotando y calculando.

Hacía días que el bolso para llevar a la clínica estaba preparado. Guido y Esmé, que habían asistido con prolija concentración a su curso de preparto, se sentían atletas, maratonistas que después de nueve meses de feroz entrenamiento han llegado por fin al momento de la prueba olímpica. ¡Ahora o nunca! Esmé jadeaba con alegre entusiasmo cada vez que llegaba una contracción mientras Guido le masajeaba la espalda y jadeaba también, casi a la par suyo, con la intención de marcarle el ritmo pero mucho más de lo necesario para marcarle el ritmo. Jadeaban los dos, acompasados, felices, las contracciones se presentaban cada diez minutos y eran apenas dolorosas.

Guido llamó al médico, que pidió hablar con Esmeralda y los tranquilizó todavía más asegurándoles que estaban disponibles, él y su partera, listos para salir en cualquier momento, que volvieran a llamarlo cuando las contracciones se presentaran cada tres minutos, o si había alguna otra novedad.

—¿Qué otra novedad? —preguntó Guido, con cierto temblor en la voz.

—Tapón mucoso —le dijo Esmé, que había estudiado a conciencia.

—Me olvidé. Me olvidé lo que pasa con el tapón mucoso.

—Se pierde —dijo Esmeralda.

—¿Y es normal? ¿Te vas a dar cuenta?

—Es normal y me voy a dar cuenta. También se puede romper bolsa.

—No quiero saber, no me cuentes.

—No pasa nada, Guido, ya nos explicaron, a esta altura no sería grave.

—No me gusta que se rompa nada en la Pecera.

Por el momento, el sexo del bebé era un misterio, y entretanto se habían acostumbrado a llamarlo así: la Mojarrita. Y a la panza, por lo tanto, la Pecera. Como todavía no era posible conocer con seguridad el sexo del bebé antes de que naciera, las abuelas les había regalado una asombrosa cantidad de ropita de bebé de color verde agua, blanco y amarillo patito. Cuando las contracciones empezaron a aparecer en forma regular cada seis minutos, se hicieron también más dolorosas.

Entonces se cortó la luz. Sucedía con bastante regularidad y duraba entre diez minutos y tres días. El departamento de Guido y Esmé estaba en el piso quince.

—Avisale al médico que nos vamos a internar —dijo Esmé, entre una contracción y otra—. Todavía puedo bajar las escaleras, después va a ser más difícil.

Guido iba adelante cargando el bolso en una mano y llevando la linterna en la otra. Esmé se apoyaba en sus hombros y bajaba paso a paso, con cuidado, en la oscuridad. Eran las dos de la madrugada, el encargado dormía y por el momento nadie se había tomado el trabajo de poner velas en los descansos de las escalera. Mientras duraba el dolor, se sentaban en los escalones. Fue una travesía larga y lenta que aceleró la frecuencia de las contracciones. En el segundo piso ya había una vela. Entre el primer piso y la planta baja, había chorreaduras de cera.

—¡Si te resbalás te mato! —dijo Guido, y era una amenaza de amor.

Pero Esmé se resbaló. ¿Cómo sucede exactamente una caída? Una cámara lenta puede mostrarlo en detalle pero para quien cae es casi un misterio, se desarrolla fotograma por fotograma y sin embargo sigue siendo incomprensible, cómo y por qué ese pie se adelantó más allá del límite del escalón, cómo y por qué las manos que se aferraban al hombro de Guido no sirvieron para mantener el equilibrio, cómo y por qué no alcanzó a sostenerse de la baranda. Por suerte quedaban solamente los últimos escalones, las piernas de Guido se interpusieron y frenaron la rodada. Esmé se encontró de pronto en el suelo y aunque tenía la sensación de que la caída había sido lentísima, al mismo tiempo hubiera sido incapaz de reconstruirla, de entenderla. Dolor, dolor, se había golpeado todo el cuerpo, la cabeza pero no mucho, también la panza, y sin embargo no era el dolor de la caída lo que la estaba haciendo gritar, todavía contenida, un gemido bajo control, sino la violencia de una contracción que le impedía percibir cualquier otra sensación.

Ya en la habitación del sanatorio, Esmé se abandonó por completo al dolor, dejó de fingir que podía soportarlo. Estaban en una planta baja, con ventana al exterior. Como en las películas (pero qué es la vida sino una pobre imitación de Hollywood), se aferraba a los barrotes de la cabecera para soportar mejor las contracciones y gritaba, gritaba desaforadamente, sin vergüenza y sin control.

—¡Jadeá, mi vida, jadeá! —decía Guido, asustadísimo, sosteniéndole las manos en las pausas cada vez más breves entre las contracciones, como si en el océano de dolor en el que estaba sumergida Esmé pudiera respirar de otro modo que jadeando. Y jadeaba también él, por solidaridad y para darle el ejemplo, para marcarle un ritmo que Esmé olvidaba, porque su jadeo desorganizado respondía al ritmo interno del dolor que abarcaba todo su cuerpo, toda su mente, y no parecía tener ninguna relación con el nacimiento de su bebé, que ahora era solamente una lejanísima probabilidad de la que ya casi no se acordaba.

De pronto, como una pareja de policías de la tele, abriendo la puerta de golpe, el médico y la partera entraron casi con violencia en la habitación. Los gritos, sin duda, se oían desde la calle. El médico comprobó la dilatación, ordenó que se le aplicara una inyección que serviría para eliminar las contracciones no efectivas, la partera le indicó cómo manejar el dolor, le habló con voz tranquila y firme y Esmé entendió por fin que todo el equipo de indicaciones, ejercicios y técnicas supuestamente naturales que debía aprender y aplicar la parturienta no iban tan claramente dirigidos a ella, a calmar o controlar su dolor, sino que se ponían al servicio de los que estaban alrededor, se trataba de evitar esos desagradables, perturbadores gritos, en realidad la reacción más obvia, más natural del cuerpo, la forma más sencilla de descargar y hasta cierto punto aliviar la sensación de estar partiéndose en dos, que era exactamente lo que le estaba pasando. En dos. Sólo que en este momento no podía ni quería recordar a esa parte de su vientre que estaba a punto de convertirse en otra persona. Comprendía y envidiaba ahora a las mujeres indígenas que imaginaba aisladas en la selva para parir tranquilas, solas, en cuclillas, quizá con otra mujer al lado, gritando todo lo que se les daba la gana. Y con todo, su obstetra era tan avanzado, tan generoso, que le evitó la práctica habitual, la tortura adicional del enema. Ya casi no había pausa entre las contracciones cuando el médico decidió que era el momento de entrar a la sala de partos.

—¿Quiere anestesia, Esmé? —preguntó el médico.

—¡Qué pregunta! ¡Claro que quiero! —jadeó Esmé, casi indignada—. ¡Usted es el que tiene que decidir!

Una enfermera le aplicó la inyección peridural, primero fue el miedo de la aguja penetrando entre las vértebras, después una sensación dolorosa y extraña, el líquido, como un lento y enorme remolino, entrando en el espacio epidural, entre la médula y las vértebras, entrando vaya a saber dónde, en una parte de su cuerpo que no existía, que hasta ese momento no había existido.

En esos años los padres, algunos padres, empezaban a participar en el parto, autorizados por los médicos, algunos médicos. Guido ya estaba disfrazado con un guardapolvo blanco, con su gorro y su barbijo cuando una lipotimia lo convenció de que sería mejor desistir de entrar en la sala de partos. Esmé se lo agradeció. Ahora no tenía que ocuparse más que de ella, y al mismo tiempo no la dejaban (pero qué monstruoso horror hubiera sido estar gritando sola, en cuclillas, en medio de la selva), la partera, las enfermeras la ponían en la posición ginecológica, los pies apoyados en estribos que al menos le permitían empujar y sostenerse en el momento de pujar, que ya venía. Casi no sentía las piernas, pero sí sentía las contracciones, aunque ya no eran dolorosas. Puje, puje, decían muchas voces a su alrededor, ahora puje otra vez, como si fuera posible evitarlo, como si no fuera su vientre el que decidía pujar con todas su fuerzas para expulsar de una vez por todas ese cuerpo extraño que ahora, por primera vez, estaba dejando de ser parte del suyo.

Sucia, jadeando, se la pusieron sobre su pecho. Las dos estaban agotadas y tal vez felices. Después se la llevaron para mostrársela al papá y a los abuelos. Después expulsó la placenta. Después algo empezó a cambiar de tono en la sala de partos, las voces afiladas, cierta premura, y Esmé se dio cuenta de que no todo iba bien. Después, mientras el médico realizaba unas maniobras incomprensibles, de las que alcanzaba a ver una parte sin sentir nada, porque todavía estaba anestesiada, la partera le explicó que había una pequeña hemorragia.

—No te preocupes —le dijo—. A veces pasa. Tu útero es un poco perezoso, no se quiere contraer como corresponde, te estamos dando oxitocina para estimular las contracciones.

Unas horas después Esmé estaba casi fuera de peligro, recibiendo una transfusión, en la sala de terapia intensiva. La única forma de detener la hemorragia que amenazaba con llevársela había sido extirparle el útero.

Su hija era increíblemente hermosa y nunca tendría hermanos.

Diario 9

Mi agente, mis amigos, algún colega, algún periodista, me preguntan por lo que estoy escribiendo. En qué consiste ese proyecto al que le estoy dedicando tanto tiempo y que me impide tomar otros compromisos. Más que por propia curiosidad, me lo preguntan por gentileza, por demostrar que se interesan en mi trabajo. Yo intento desviar la conversación. Es un error hablar de lo que se está escribiendo. Un proyecto no existe, no es nada hasta que está terminado, y eso es más cierto todavía en el caso de una novela. Alguna vez escribí un microrrelato sobre este tema:

> Un escritor cuenta la idea de un relato que está
> a punto de escribir. La cuenta en una mesa de café
> y la idea es buena, el aire se tensa alrededor de las
> palabras, el relato se hace a tal punto tangible que
> el humo del cigarrillo no lo atraviesa, las volutas
> describen su contorno transparente. Pero después,
> cuando trata de transformarlo en letras, percibe
> grietas antes ignoradas por donde las palabras se
> deslizan, hay campos minados, una bruma de rutina
> invade el texto y los Dioses rechazan la ofrenda de
> una víctima que ya no es pura, que otros antes que
> Ellos han gozado.

Y sin embargo, es difícil contenerse. Es tanto más fácil, más agradable, tanto menos comprometido contar la historia que escribirla. Crea la falsa ilusión de que ya existe, de que no hace falta más que un poco de paciencia, todo es cuestión de sentarse la suficiente cantidad de tiempo delante del teclado para darle su lugar en el mundo, y es mentira, por supuesto, un proyecto literario no es nada, nada más que aire y mentira, es el combate contra las palabras lo que va a definir su existencia y si las palabras ganan, si no es posible derrotarlas, dominarlas, la idea volverá al caos, de donde nunca debió haber salido. La tentación es fuerte y, cometiendo el error de ceder a ella, le conté a un colega sobre el trágico nacimiento de la hija de Guido y Esmé.

—Pero eso ya no existe —me dijo él, con seguridad—. A esta altura de la ciencia, no hay hemorragias posparto que no se puedan controlar. ¡Extirpar el útero! Inverosímil.

Y sin embargo, no inventé la situación, no hubiera podido. No tengo imaginación, soy completamente incapaz de inventar nada. Todo lo que sé hacer es combinar de manera más o menos lógica trozos que extraigo de la realidad. Conozco a la protagonista, en la vida real, de esa terrible hemorragia que estuvo a punto de llevársela y que terminó por llevarse su posibilidad de tener otros hijos. Prefiero tener información de primera mano y me hubiera gustado interrogarla, quizá grabarla. Pero en este caso la circunstancia fue lo bastante trágica como para que el pudor (el mío) frenara cualquier tipo de investigación. Tomé el resto de la información de Internet, que para eso está.

Lo cierto es que ahora existe en mi historia esa beba recién nacida, no puedo culpar a nadie más que a mí, yo misma la hice nacer y ahora, maldita sea, también a ella tengo que ponerle nombre.

La culpa

Así comenzó para Esmé la peor de las culpas, la que se retroalimenta, la que no tiene límites ni puede ser controlada: la pesada culpa de sentirse siempre culpable y de encontrarse, así, en una situación de debilidad, de fragilidad, que convierte al culposo en alguien tan fácil de manipular, una marioneta dispuesta a bailar al son de cualquiera capaz de advertir sus dudas, sus miedos, su constante, aburrida, inagotable y agotadora sensación de culpa. La culpa de ser madre.

Todo empezó tan rápido, tan inesperadamente, apenas dejó la sala de terapia intensiva y la llevaron a su habitación, donde la estaba esperando su mamá, con anteojos negros y barbijo. Esmé estaba muy débil y le dio un poco de miedo.

—¡Mamá! ¿Por qué te tapás la cara?

—Me tuve que poner el barbijo porque vos estás anémica, con las defensas muy bajas.

—Todos los demás entran sin barbijo… Incluso a terapia.

—Pero yo soy tu mamá, Esmeralda. Yo te quiero más.

—¿Y los anteojos negros, aquí adentro?

—Son para que no te des cuenta de que estuve llorando. Ahora te van a traer a tu beba y tenés que prepararte para recibirla. Tenés que sacarte el camisón y apoyarla contra tu piel. Es muy importante, por estos dos días en que estuvieron separadas. Así me dijo Gloria.

Gloria era la psicóloga de Alcira. La había ayudado mucho después de la muerte de su hija. Alcira tomaba su palabra como ley.

—¿Dónde está Guido?

—Lo mandé a tomar un café. Esto tiene que ser sólo entre la hija y la madre. Y la beba se va a quedar con vos en la habitación para que empieces a hacerte cargo. Vas a tener que ponerla al pecho —dijo Alcira con voz exageradamente suave, exigente.

—Mamá, andá a buscarlo por favor. Quiero que esté conmigo. Me siento muy mal, vengo de terapia. No puedo hacerme cargo de nada.

—Yo te voy a ayudar.

—¡Por favor, mamá!

Y mientras su madre, con la cara cubierta con esa especie de extraña máscara, salía a buscar a Guido, Esmé se quedó por un momento sola y se dio cuenta de que no sabía qué estaba haciendo allí. Haciendo un esfuerzo, podía recordar para qué había ido al sanatorio, pero se sentía como si, en cierto modo, lo hubiera olvidado o por lo menos como si ya no tuviera la misma importancia. Ahora estaba un poco mejor y lo único que quería era recuperarse del todo y después volver a su casa, ella y su marido. Y nadie más. Que todo volviera a ser como siempre. ¿Quién era, qué era, de dónde había salido (y se miraba el cuerpo, desconcertada, la panza todavía hinchada, prominente) ese bebé que querían endilgarle para que ella lo cuidara cuando no se sentía ni siquiera en condiciones de cuidarse a sí misma?

Muchas veces había vuelto sobre ese sentimiento extraño, esa primera y terrible culpa, esa involuntaria negación de la maternidad que desapareció unas horas después, en cuanto tuvo a Natalia en sus brazos, contra su piel, las dos solas, y pudo darle el maldito biberón, el artilugio de plástico y de goma que iba a servir para separarlas, para interponerse entre las dos, ella hubiera deseado tanto poder alimentarla de su propio cuerpo, unirse con su hija en ese encuentro amoroso, sensual, entrar en la boca de su hija con un pecho cargado de leche. Pero se lo habían prohibido. La anemia provocada por la hemorragia, más la carga de antibióticos que había recibido, hacían que cada una de ellas, Esmé y su hija, fueran tóxicas para la otra. Su hija Natalia Regina: después de una ardua discusión con su marido Esmé había entendido que Regina debía ser el segundo nombre, el que se representa con la inicial, había entendido que no debía cargar a su bebé con el peso de la muerta.

¿Fue entonces cuando comenzó todo? ¿Fue ese rechazo incontrolable pero pasajero de lo que más había deseado en la vida? Muchas veces se lo preguntaría.

—Su nena tiene pasta de líder —le dijo una enfermera, mucho después, cuando ya la tenía contra su cuerpo, sobre su cuerpo, otra vez en su cuerpo, y ella recordaría después con orgullo ese comentario que en ese momento le había parecido tan terrible—. ¡Se larga a llorar ella y todos la siguen a coro!

¡Entonces lloraba! ¡Entonces a la noche, cuando se la llevaban a la nursery, lloraba! Había pedido que la dejaran con ella en su cuarto pero su médico fue inflexible: durante el día sí, pero a la noche la mamá tenía que dormir, recuperar fuerzas. Para Esmé imaginar a su hija llorando lejos de ella era una tortura casi física que se añadía a los muchos dolores (el parto, la epi-

siotomía, la operación para extirparle el útero) que la
castigaban, a pesar de los calmantes.

Y sin duda algo había empezado en ese momento,
esa sensación que la arrasó durante mucho tiempo,
durante el resto de su vida, el terror y la obsesión en
relación con los muchos sufrimientos que acechaban a
su hija, con los atroces peligros del mundo y de la vida.
Vivir era terrible, vivir era llevar constantemente encima, adentro, la semilla de la muerte. Su beba era tan
frágil, tan delicada, tan débil, tan expuesta... ¿Cómo la
sostendría cuando estuviera en condiciones de pararse
con Natalia en brazos? ¿Cómo se sostiene un bebé?
¿Cómo y por qué no se cae de los brazos de la madre?

—Como una radio —le dijo su suegra, que vino de
Santa Fe para conocer a su milésima nieta. Ella había
tenido siete hijos con alegre simplicidad. —Un bebé
recién nacido es como una radio. Lo levantás así, ¿ves?
como si fuera una radio: hace mucho ruido pero no se
mueve, donde lo ponés se queda.

Diario 10

Me hubiera gustado contar en primera persona, para despegarla del resto, una sección en la que Esmé piensa en su hija tratando de recapitular su vida, tratando de darse cuenta en qué se equivocó. En suma, ese recuento de culpas en el que nos sumergimos todas las madres cada vez que dudamos (con más frecuencia de lo necesario) de lo que hicimos por/para/contra nuestros hijos. Pero si esa angustia tan común, casi tradicional, se relata en primera persona, corro otra vez el riesgo de que se mezcle y se confunda con estos comentarios. Al tomar la decisión de escribir este diario, renuncié a la primera persona en el resto de la novela para siempre, sin excepciones. Por otro lado, la idea de recapitulación desapareció rápidamente. Me irritan un poco los raccontos y opté por seguir avanzando en orden cronológico.

Al lector, ¿qué le importan mis elecciones? ¿Por qué habrían de interesarle mis dudas? Pero, si vamos hasta las últimas consecuencias, ¿por qué habría de interesarle mi novela, esta o cualquier otra? ¿Por qué lee ficción? ¿No es mejor, como lo hace hoy la gran mayoría, limitarse a aprovechar los libros para el aprendizaje y la toma de información y cuando el cuerpo pide ficción (porque lo pide) limitarse al entretenimiento audiovisual? ¿No es tanto más fácil conmoverse con la cara de una buena actriz que con las palabras que describen su angustia?

¿No es tanto más fácil acompañar sus lágrimas fingidas
con las propias lágrimas sinceras pero fáciles, empáticas,
indoloras? Y sin embargo, sin las palabras, ¿qué somos?
Menos que una aceituna, diría el Talmud, donde el tamaño de una aceituna es el límite de lo prohibido (si es
más pequeño que una aceituna, todo se puede permitir).
Menos que una semilla de ajonjolí, diría *Las mil y una
noches*. Menos que nada.

Los primeros años

La felicidad es una dama esquiva. Le gusta jugar a los disfraces, ocultar su cara amable, sosegada, detrás de un velo para no ser reconocida, para que nadie sepa que estuvo allí, para que los desdichados humanos se vean obligados a mirar hacia atrás, a esforzar su memoria, siempre dudosa, tratando de recomponer el cuadro del recuerdo para poder decirse, ¿te acordás? ¡Era ella y no supimos reconocerla! ¡Ésa era la felicidad! Los primeros años de Natalia fueron para sus padres pura felicidad disfrazada de pequeños contratiempos. Tardaron muchos años en darse cuenta.

¿Era Natalia objetivamente tan hermosa como ella suponía? ¿Cómo era, en realidad, su hija, se preguntaba Esmé? ¿Cómo la veían los demás? Los primeros días apenas podía quitarle los ojos de encima. En parte porque estaba extasiada con su belleza, con su existencia, con su carita, con su cuerpo, con sus manos y sobre todo con sus pies, tan perfectos y conmovedores que a veces la hacían llorar. En parte porque sentía que su mirada de madre era la que sostenía el frágil movimiento de la respiración. ¿Cómo estar segura, totalmente segura, de que su hija seguía respirando cuando dejaba de mirarla?

Cuando volvieron a la casa Esmé ya podía sostenerse en pie y cambiar a la beba, aunque todos sus movimientos eran lentos y le costaban un esfuerzo enorme. La primera vez que salió a la calle, le pareció que la esquina

estaba lejísimos, del otro lado del mundo, no podía imaginarse recorriendo esa distancia. Al principio Guido
cronometraba el tiempo que les llevaba el proceso de
calentar la mamadera, darle de comer a Natalia, hacerla
eructar y cambiarla. La primera vez tardaron cuarenta y cinco minutos. El tiempo se reducía a medida que
Esmé se recuperaba y practicaba. A la noche esperaba
que Guido estuviera en la casa para bañarla juntos. Tenía
miedo de que se le resbalara, de que se ahogara en la bañadera.

La abuela le cortó las uñas por primera vez y la operación le resultó a Esmé penosísima, la angustia era casi
incontrolable. Esos dedos tan pequeños, tan tiernos, tan
fáciles de cortar de un tijeretazo. De hecho, la tijerita
rozó la piel finísima de la beba y salió una gota de sangre
que hizo lanzar a su madre un grito de horror.

—Me dan a mí lo más agresivo —protestó Alcira—.
¡Quieren que me odie desde el principio!

Y sin embargo Natalia nunca odió a su abuela.

El abuelo León, siempre tan cariñoso y cada vez un
poco más desaliñado, más abandonado, siempre mal
afeitado y con el borde de los ojos enrojecidos, sólo tenía permiso de cargar a Natalia cuando estaba sentado.

¿Así era tener hijos? ¿Encontrarse día y noche sometida al terror de perderlos? Guido, tal vez porque había
visto nacer tantos hermanos menores, parecía aceptar su
nueva condición con más naturalidad.

Los primeros días Esmé actuaba como una gata pa-
rida. No quería que nadie tocara a su bebé. De mala gana
se lo permitía a su marido, a su madre, pero cuando sus
suegros, alguno de los hermanos de Guido, que pasaban a verlos cuando venían a la capital, y sobre todo sus
hijos, los primitos de Natalia, se acercaban a la cunita,

ella se paraba de un salto y se quedaba allí, controlando
la operación de tocar o acariciar a la beba con la dolorosa
impotencia de quien no puede prohibir una acción que
le hace daño. Pocos se atrevían a alzarla y la madre enseguida les pedía con voz temblorosa, suplicante, que se
la entregaran, que se la devolvieran, como si temiera un
súbito secuestro, como si le estuviera rogando a un delincuente peligroso que le devolviera un objeto robado.

Natalia tenía seis meses cuando por primera vez
Esmé accedió a separarse de ella por un rato y se la entre-
gó a sus padres, sintiendo que su cuerpo se desgarraba.
Alcira y León se la llevaron a dar una vuelta con el auto.
Cuando volvieron, media hora después, Esmé estaba en
la puerta de su edificio, con la cara desencajada en un
rictus de miedo y desesperación.

Un bebé era algo tan agotadoramente frágil. Abun-
dante bibliografía lo confirmaba. Los accidentes, leía
Esmé, son la primera causa de muerte de los niños pequeños. Un bebé podía caerse de una cama si no se lo
protegía con almohadas como barricada, pero también
podía ahogarse con las almohadas, incluso con el colchón si era demasiado blando (este accidente poco común estaba comprobado por ciertas estadísticas entre la
población negra de Estados Unidos), podía morir de frío
si no estaba bien tapado, pero también podía asfixiarse
con su propia manta, podía golpearse y lastimarse sin
los protectores blandos en la cuna, pero también podía
asfixiarse con los protectores blandos en la cuna, podía
ahogarse en su propio vómito, podía caerse (y de hecho
se le cayó una vez del cambiador, en la época del bailo-
teo de los seis meses), ahogarse en la bañadera, quemarse con un biberón demasiado caliente, y a medida que
pasaba el tiempo el miedo no disminuía, al contrario, a

medida que Natalia empezaba a desplazarse aumentaba hasta el infinito, ahora podía quemarse en la cocina,
podía cortarse con un cuchillo, con una tijera, con un
papel, con algún borde afilado (el mundo entero tenía
bordes afilados), podía clavarse un clavo, un tenedor,
un tornillo, un lápiz, una aguja, podía clavárselo sobre
todo en el ojo, en uno de sus bellísimos, enormes ojos
color miel, podía meter los deditos en los enchufes, que
todavía tenían, en esa época, el diámetro adecuado como
para permitir el ingreso de un dedo de bebé, podía tirar-
se encima una silla, una taza, una olla, una sartén con
aceite caliente, podía estrangularse con el babero, con la
cadenita del chupete, atraparse un dedo con una puerta,
golpearse la cabeza contra un zócalo, contra un mueble,
contra una pared, asfixiarse con un carozo, con una pie-
drita, con una galleta, con un botón, con una moneda,
con un juguete, con un prendedor, con un maní, con una
bolsa de plástico, podía meterse en la nariz la tapita de
una birome, el ojo de una muñeca mal armada, podía
tragarse un alfiler, una bolita, un crayón, un veneno, ¡un
veneno!, todo era un veneno a su alrededor, el mundo
era un veneno, la lavandina, el detergente, toda la variedad de productos de limpieza, el papel de diario, el
jabón, los medicamentos, las pilas, los cosméticos, los
objetos que levantaba del suelo sucio, pero además los
alimentos, los alimentos mismos, podían provocarle un
shock alérgico, su beba podía morir ahogada por inflamación de la glotis, cada vez que incorporaba un alimen-
to nuevo Esmé empezaba por untarle un poquito en la
piel y después lo iba incorporando a los ya conocidos en
cantidades minúsculas, que aumentaba con infinito cuidado. Esmé puso esquineras de goma en la mesita baja,
evitaba los manteles largos de los que Natalia podía ti-

ronear, volcándose encima la vajilla, tapó los enchufes, puso disyuntor y protectores en las puertas para que no cerraran de golpe. Con 220 volts, todos los aparatos eléctricos eran un peligro, toda la casa era un peligro y el exterior era un peligro. El sol era un peligro, viajar en transporte público era un peligro pero también ir en el auto era un peligro, andar por la calle en cochecito era un peligro, precisamente a esa altura los gases de los autos envenenaban el aire. ¡Y el peligro de contagio! Los amigos, los parientes, venían de la calle y pretendían tocar a la beba sin lavarse las manos, sin frotárselas con alcohol, con desinfectante, las veredas estaban tan sucias, la gente le echaba encima el aliento irresponsablemente, ese aire mefítico, cargado de bacterias. La gente tosía, hablaba, fumaba, expulsaba sus miasmas en el mismo ambiente donde estaba su hijita, envenenando el aire.

Natalia era un milagro extraordinario en la familia de su madre y una más en la caterva de chicos de la familia de su padre. Esos chicos, los primos, tantos y tan descuidados, podían tener resfríos, fiebre, bronquiolitis, gripe, varicela, anginas, escarlatina, o alguna de esas enfermedades eruptivas sin nombre, que sólo se conocían por el número, la séptima, la octava, y era peor, mucho peor si parecían sanos, porque entonces podían estar en el peligrosísimo período anterior a la manifestación de la enfermedad, podían estar en la etapa de la incubación, el momento en el que eran más contagiosos que nunca.

Esmé sentía o creía sentir una empatía absoluta con su hija. Cuando le dieron a Natalia la primera vacuna inyectable, se retorció de dolor con ella y vomitó al llegar a su casa. Tenía que apretar los dientes para no gritar cuando la pediatra la revisaba y Natalia lloraba malhumorada. Cuando tuvo bronquiolitis, Esmé no durmió durante tres días sintiendo que ella misma se ahogaba en la flema que interfería con la respiración de su hija. La kinesióloga le enseñó a palmotearla con la mano en forma de copa, una de sus manos abarcaba toda la espalda de la beba y tenía que obligarse a golpearla para ayudarla a expulsar la flema, ¡a golpearla! Era inhumano. Que la beba no llorara con los golpes era milagroso, era una muestra más de esa maravilla que había brotado de sus tripas.

Guido, como hijo de una familia numerosa, era padre de una forma mucho más natural. Sabía que los bebés son más de la mamá y se lo tomaba con calma, con un amor pacífico, constante, menos desesperado y, como correspondía a su personalidad, mucho más teórico. Como si nunca hubiera visto un bebé en su vida, como si no tuviera uno delante de sus ojos, leía apasionadamente cuanto libro acerca del desarrollo del bebé caía en sus manos, y siempre tenía a mano un consejo bien fundamentado, refrendado por autoridades, acerca de cómo educar, alimentar o proteger a Natalia.

Cuando la chiquita cumplió tres años, consciente de que su conducta excedía lo normal, incluso en relación con una primera hija, incluso con una hija definitivamente única, Esmé decidió volver a trabajar medio día y mandar a Natalia al jardín de infantes.

El día en que completaron *la adaptación*, el período de tiempo que en la Argentina se considera necesario para que los niños se acostumbren al jardín y acepten separarse de sus madres, y que en otros países menos *psi* simplemente no existe, Esmé se fue a su trabajo sintiendo espasmos en el pecho a causa de los sollozos contenidos. Natalia jugaba tranquila y contenta en el arenero y apenas la miró de reojo, con poco interés, cuando se despidió de ella. Parecía casi aliviada.

Diario 11

Estoy escribiendo este diario simultáneamente con el primer borrador de la novela. Y sé que el texto, la historia central, va a cambiar mucho. ¿Qué pasará, entonces, con estos comentarios? ¿Tendrán sentido a pesar de todo? ¿Voy a reescribirlos para adaptarlos a la versión final? El lector nunca lo sabrá. Como no sabe, todavía, cuál es la orientación de la novela, dónde está la meta, hacia dónde voy (a menos que lo haya leído en la contratapa, a veces tan peligrosamente develadora). Todo es mentira, todo es ficción, incluso esta aparente franqueza, esta develación de ciertos secretos verdaderos y falsos, secretos literarios. Yo conozco ya muchas de la situaciones a las que deberán enfrentarse mis personajes. Las tengo anotadas en un archivo que se llama «Ideas». Y más que eso, sé bastante sobre su destino, sobre el rumbo general de sus vidas. Pero no puedo contarlo. Todo se sabrá a su tiempo.

Jardín y tortuga

¿Fue tal vez ése el comienzo? ¿Fue ese episodio en el jardín de infantes? ¿Su reacción ante ese episodio?, se preguntará Esmé muchos años después. ¿No debió haber sido más severa con ella, tener una conversación a fondo, castigarla? ¿Cómo se castiga a una nena de cuatro años? ¿No más golosinas durante una semana, dos semanas, hasta fin de año? ¿Prohibida la hora de dibujitos frente al televisor? Asombroso pensarlo desde hoy, pero no había televisión por cable a mediados de los ochenta, había sólo canales de aire y apenas unos pocos programas infantiles que todos los chicos veían a la vez y comentaban entre ellos. ¿Tendría que haberla castigado o todo lo contrario? ¿No debió protegerla, sacarla inmediatamente de ese lugar que había elegido para ella con tanto cuidado, con tanto amor y temor y aprensión, que eran entonces casi una sola cosa? ¿No debió rescatarla? ¿Fue bueno, fue correcto, dejarla allí, en manos de esa maestra demasiado joven, demasiado *psi*, demasiado preocupada, esa maestra que prejuzgaba a su hija, que sin duda no la trataba como a los demás chicos, que quizá, de algún modo, la maltrataba?

Esmé entró al jardín harta de que otra vez la llamaran en horas de trabajo. Un día para compartir con los chicos la llegada del Patito Mimoso, otro día para ayudarlos a preparar disfraces de papel, otro día para hablarles de su trabajo, que los chicos de esa edad, de todos modos, no podían entender.

—Si yo no tuviera nada que hacer —comentaba Esmé con las otras mamás, tan fastidiadas como ella—, para empezar no la mandaría al jardín.

Y era mentira, por supuesto, porque Esmé quería, como todos, que su hija fuera precisamente como todos, como cualquier chico de su edad y de su medio social y eso incluía un jardín de nfantes bueno y caro.

A pesar del fastidio, cuando entró al jardín sintió, con alivio, que salía fuera del fárrago de la ciudad para entrar en un pequeño paraíso. Volvió a ver, complacida, el arenero grande, que había sido tan importante a la hora de tomar la decisión. Una decisión dificilísima: Guido y Esmé habían visitado diez jardines diferentes antes de decidir cuál era el más adecuado. La fama de Papelito, el hecho objetivo de que todos los juegos peligrosos estuvieran sobre el arenero (había otros donde el tobogán, el subibaja, la trepadora, que a los ojos de Esmé eran simples trampas mortales diseñadas para herir o matar a su hija, habían sido colocados con indiferencia sobre las duras baldosas del patio), el detalle maravilloso de que los bordes de cemento que contenían la arena estuvieran protegidos con trozos de neumáticos, la sonrisa de las maestras jóvenes, de tez clara y pensamiento progresista, que ganaban un poquito más que en otras instituciones, la experiencia y la sensatez de la directora y, sobre todo, las recomendaciones de otras mamás, todo eso la había ayudado a tomar la difícil decisión de destinar al jardín de infantes de Natalia suficiente dinero como para pagar el anticipo de un departamento, incluso la propiedad completa sumando las cuotas de todos los años de jardín.

Era en horario después de clases y los chicos, con sus delantales a cuadritos rosas y blancos (las nenas) o celestes y blancos (los varones) ya no estaban, pero en la salita amarilla todo evocaba su presencia. Las sillas bajitas, de colores fuertes, las mesitas en las que trabajaban, los juguetes prolijamente apilados en las cajas, *a guardar y ordenar/cada cosa en su lugar/si guardamos y ordenamos/ pronto vamos a jugar*, y cuántas veces había tratado Esmé, inutilmente, de provocar el mismo maravilloso efecto de la canción en su casa, en la habitación de Natalia.

La maestra estaba sentada detrás de un pequeño escritorio de fórmica transportable, que usaban para las conversaciones con los padres. Era una chica joven, de pelo muy cortito y sonrisa dulce, en el límite de lo almibarado. A un costado, contra la pared, estaban los ganchos donde los chicos colgaban sus bolsitas. La de Natalia tenía su nombre y una jirafa que Esmé había bordado con torpeza, pero con sus propias manos.

—Natalia es divina —empezó, previsiblemente, la maestra jardinera.

Y siguió enumerando las muchas, las extraordinarias cualidades de Natalia, entre las que brillaba su gran inteligencia y el buen desempeño social, en especial, la ascendencia que tenía sobre sus pares. Esmé escuchaba extasiada, olvidada de su apuro: podría haber permanecido allí durante horas, sumergida en el placer que le provocaban los elogios sobre su hija. Al parecer, Natalia tenía cualidades de líder y era muy importante guiarla en esta etapa de su vida en la que podría llegar a definirse como líder positivo si sus padres…

Si sus padres. Esmé miró a la maestra con angustia. ¿Qué más pretendían de sus padres? Suspiró agotada.

—No sé si sabés lo que pasó esta semana con la tortuga.

¿Por qué la maestra, bastante más joven que ella, la tuteaba? A Esmé le costaba acostumbrarse a los cambios sociales que, cada vez más acelerados, desmontaban las jerarquías que había aprendido a respetar con esfuerzo y dedicación en su niñez de los años cincuenta.

—Sí, me contó Natalia. Fue ese nene problema, ¿no? El mismo que le hizo un chichón en la frente a otra chiquita con el martillo del xilofón.

—Lo de la tortuga fue terrible para todos los chicos —dijo la maestra, bajando la vista, como si el recuerdo de la escena la perturbara al punto de no poder seguir sosteniéndole la mirada—. Apareció flotando boca arriba en el balde de dactilopintura.

—¡Qué horror! —aceptó Esmé, dispuesta a acompañar a la maestra en su duelo. Ahora que la conversación rodaba por otros caminos, le interesaba mucho menos. Miró con disimulo el reloj. En una hora tenía una reunión supuestamente informal, pero en realidad muy importante, con el dueño de la agencia y un nuevo cliente.

—Pensamos que… Bueno, Tavito es un problema, por supuesto. Incluso estamos considerando pedirle a los padres que lo retiren. A pesar de que tiene la edad que corresponde, quizá no esté maduro todavía para el jardín. Y está por tener un hermanito, sabés cómo se ponen.

Pero Esmé no lo sabía ni llegaría a saberlo nunca. Volvió a mirar el reloj, pero ahora sin disimulo.

—Pensamos que… No es sólo Tavito —siguió la maestra—. Eso te quería decir con el tema del liderazgo. Natalia tiene mucha influencia sobre Tavito.

—Me extraña. Ella me lo menciona solamente para contarme los líos que hace. Me quedó la impresión de que es un chico bastante violento.

—Sí, seguro que Tavito tiene problemas pero... Creemos que fue Natalia la que le dio la idea de meter la tortuga en el balde de pintura.

¿Qué tonterías le estaban diciendo? Esmé sintió que la indignación la hacía temblar pero se contuvo. Enseguida captó los matices ridículos de la situación y contestó con una sonrisa cómplice.

—¿Querés decirme que Natalia está acusada de ser la autora intelectual del Pavoroso Crimen de la Tortuga?

La maestra jardinera parecía totalmente inmune al humor o la ironía.

—La tortuga no murió —le dijo severamente—. Pero está internada muy grave.

Diario 12

Materiales: siempre tuve enorme curiosidad por saber cómo y de dónde obtienen los escritores los materiales con los que construyen sus obras. Es curioso que, a pesar de compartir el oficio, siga siendo una lectora tan ingenua. Debo obligarme con un golpe de fuerza intelectual a no creer una y otra vez que al autor le sucedió todo lo que cuenta sobre sus protagonistas. Cuando leí *El mundo según Garp* estaba convencida de que John Irving había sido hijo único. En *El Hotel New Hampshire* me pareció evidente que había pertenecido a una familia numerosa. Hoy es muy fácil acceder a una biografía, pero al lector ingenuo no le importa, o desconfía, prefiere la versión que parece más obvia y se regodea en ella. ¿Cuánto hay que conocer una realidad para poder escribir sobre ella? Se dice que a Henry James le bastó mirar por el ojo de la cerradura durante media hora la habitación de un hotel donde se alojaba una dama para escribir la novela *Retrato de una dama*. Lo dudo, pero durante mucho tiempo me atormentó la idea.

Materiales: el arenero es igual al del Arco Iris, el jardín al que fueron mis tres hijas. Tavito, el niño problema (vaya a saber cómo se llamaba en realidad, aunque si lo supiera no lo diría), fue compañero de una de ellas en salita de tres. Pegaba, mordía y tiraba del pelo. Le pegó a mi Paloma con el martillo del xilofón en la frente haciéndole un chichón leve que la maestra decidió curar de forma inolvidable, untándolo con manteca. Entre las madres se rumoreaba que a Tavito le pegaban mucho en la casa. El chico también metió a la tortuga en el balde con agua que usaban para lavarse las manos después de usar dactilopintura, pero el animal fue rescatado de inmediato.

En una escuela privada, los alumnos son también clientes. Duele perder a uno solo, pero más se pierde si los padres empiezan a sacar a los demás. Al modelo de mi Tavito lo expulsaron amablemente, diciéndoles a los padres que todavía no estaba maduro para el jardín y recomendándoles un previsible tratamiento psicológico.

El muertito

Criada entre adultos, como cualquier hija mayor, Natalia sumaba a su belleza (el pelo oscuro, espeso, los ojos color miel, una sonrisa destructiva que resumía la gracia del universo) la ventaja de un vocabulario amplio, complejo, con giros retóricos que tomaba de los adultos. Era muy consciente del efecto que causaba y se divertía sobresaltando a sus maestras.

Un sábado, el día de almorzar con los abuelos maternos, hizo reír y llorar al mismo tiempo a toda su familia. Guido no encontraba el salero.

—¿Dónde está? —preguntó—. ¡Desapareció el salero!

—Se lo llevaron los militares —dijo de pronto Natalia.

Y sólo entonces tomaron conciencia de cómo sin quererlo, sin pensarlo, iban transmitiendo a la chiquita la historia de sus vidas. El abuelo León se levantó de la mesa sacudido por los sollozos.

La abuela Alcira la colmaba de regalos. Natalia tenía toda la colección de muñecos de Mi Pequeño Pony, ridículamente caros, tenía su propia casita de juguete con paredes de plástico adentro de su habitación, con una mesita y una silla, tenía los videocassettes de todas sus películas preferidas, las más completas y complejas cajas de Playmobil, los primeros Nintendo y, cuando llegó el momento, un Atari, el precursor de la Play Station.

—¿No la estás sobornando? —protestó un día Esmé, preocupada tanto por la frágil psiquis de su hija como por su cuerpo, al que seguía considerando siempre en peligro—. ¿No tenés miedo de que te quiera por interés?

—El interés es una muy buena razón para el cariño —le contestó Alcira—. ¿Por qué quieren los hijos a los padres? Porque los necesitan. A mí no me necesita, por eso me la tengo que comprar. ¡Como cualquier abuela!

La chiquita se llevaba muy bien con la abu y en cambio rehuía al abuelo León, y cómo no comprenderla. El abu emitía el olor dulzón, afrutado, de los diabéticos mal cuidados, se había vuelto lento y pesado, perseguía a su nieta en forma conmovedora pero molesta en busca de un beso en la mejilla fofa que Natalia le daba de mala gana. Esmé trataba de transmitir a su hija el amor que sentía por su papá. Trataba de hacerla conocer de algún modo al padre que ella había tenido en su niñez y adolescencia. Le mostraba las fotos de un hombre alto, erguido, de barba rubia, jugando al tenis, le hablaba del sentido del humor de su papi, que siempre estaba haciendo chistes, le contaba cómo las ayudaba a disfrazarse de «heridas graves» en carnaval para asustar a la gente y cómo inventaban juntos bromas para el Día de los Inocentes. Pero la inocencia se había perdido para siempre, el Día de los Inocentes no se festejaba más, y la imagen del padre que Esmé quería grabar en su hija no parecía tener ninguna coincidencia con la figura real, presente y patética del abuelo León.

Esmé miraba los cuadernos y las carpetas escolares de Natalia con la pasión temblorosa y feliz que en otras épocas reservaba para las cartas de amor. La letra prolija, las cuentas ordenadas, la explosión de luz y color en los dibujos le parecía un milagro inmerecido, glorioso. Desde la dictadura, la educación estatal había entrado en decadencia en el país. Natalia asistía a una escuela primaria privada de la que sus padres, educados en escuela pública como casi toda su generación, se avergonzaban un poco. La dueña y directora les hablaba siempre de la gran inteligencia de Natalia y ellos escuchaban absortos, ingenuos, clientes.

Cuando Natalia estaba en segundo grado, Esmé conoció en la puerta de la escuela a la mamá de un alumno nuevo, que venía de otra escuela.

—Mi hijo la está pasando mal —le comentó—. Me pregunto si hice bien en cambiarlo de escuela. En la otra tenía muchos amigos. ¡Pero es que la enseñanza es tanto mejor aquí!

Por otras mamás Esmé se enteró de que el compañerito nuevo tenía una grave enfermedad genética degenerativa, los médicos decían que no iba a sobrevivir mucho más allá de la adolescencia, y pensó que esa madre estaba loca, que someter a ese chico a un cambio de escuela era un acto de demencia. Pero ¿ser madre no es una forma de locura? Se imaginó en el lugar de la mujer, negando de todas la maneras posibles la condena, tratando de actuar como si su hijo tuviera futuro, como si olvidarse del horror pudiera revertirlo.

Cuando volvió a encontrarse con ella, se encontró con un pedido inesperado.

—Tenés que ayudarme —le dijo—. Los compañeros le están haciendo la guerra a mi hijo y parece que Natalia es la que maneja el grupo.

—Tienen siete años —dijo Esmé. Y se acordó del episodio de la tortuga. —Los chicos son crueles. El nuevo siempre tiene que pagar derecho de piso. Seguro que Natalia no sabe que tu hijo está enfermo.

La mujer estaba vestida con jeans, despeinada y tenía cara de cansada.

—Lo llaman «el muertito» —le contestó.

Esa tarde, a la hora de tomar la leche mirando dibujitos, Esmé apagó el televisor y se puso delante. Era la señal de que había algo muy grave de lo que tenían que hablar. Natalia la miró a los ojos con su mirada confiada, franca y abierta y Esmé le habló del compañero nuevo.

—Tienen que ser buenos con él. No pueden tratarlo mal.

—Pero no lo tratamos mal —contestó Natalia—. Es tonto. Es malo. Le robó la cartuchera a Florencia.

Esmé pensó que la enfermedad y la desgracia no vuelven a la gente más buena, más simpática ni más generosa. Ni más inteligente. A los siete años es muy difícil tener empatía con alguien que está sufriendo tanto. Era lógico que los otros chicos tomaran distancia.

Esa noche intervino Guido. Con su voz severa y persuasiva le explicó a Natalia las razones por las cuales tenía que portarse especialmente bien con el nuevo. Los ojos color miel se humedecieron y, entre lágrimas, Natalia les dedicó una sonrisa que les produjo a sus padres un ramalazo de amor y, en cierto modo, de alivio.

—Ya entendí —dijo Natalia—. Prometo que no le vamos a decir más «el muertito».

Y cumplió. La madre del muertito le agradeció especialmente a Esmé por su intervención. Después de un cumpleaños, el muertito (Esmé se odiaba a sí misma por llamarlo de ese modo, aunque fuera para sus adentros, pero no lo podía evitar, siempre se olvidaba del nombre) estuvo internado y faltó al colegio por quince días. Corrió el rumor entre las madres de que en el cumpleaños un grupo de chicos lo había encerrado en un baño fumigado con insecticida en aerosol.

Natalia empezó a llegar a su casa trayendo útiles nuevos, especialmente lindos y llamativos, una cartuchera importada, un sacapuntas de metal con forma de helicóptero, una lapicera de una marca conocida que no solían usar los chicos de primaria.

—¿Es verdad que tu hijo se los regala? —le preguntó Esmé a la madre del muertito.

—Es verdad. ¡Julián está tan agradecido! Parece que ahora Natalia lo defiende ante el grupo.

A Esmé no le gustó lo que estaba pasando pero no tuvo mucho tiempo para reaccionar, porque al chiquito enfermo lo sacaron del grado antes de que terminara el año. Cuando, después de conversarlo con Guido, decidieron que a pesar de todo Naty tenía que devolver todo lo que le habían regalado, el muertito ya había vuelto a su escuela anterior.

Diario 13

De la vida real, por supuesto. Una historia terrible. Una de mis hijas tuvo como compañero de la primaria a un chiquito que sufría una enfermedad nerviosa degenerativa. La madre lo había cambiado de escuela por razones de buena enseñanza y no tardó nada en arrepentirse. El chico faltaba mucho, por culpa de la enfermedad, extrañaba a sus amigos, los compañeros nuevos no lo querían, se burlaban de sus dificultades con la absoluta falta de compasión y empatía de los siete años. Al año siguiente volvió a su escuela anterior. Unos años después supe que había muerto.

En una primera versión de este diario escribí:

> *En este punto, ya no tengo excusas. Se trata de avanzar en el tema central de la novela y tal vez sea imposible. El lector podría haber comenzado a sospecharlo, pero yo lo sé. Tengo tres hijas. Lo que sigue, lo que debería seguir de acuerdo con mis planes, es intolerable, me resulta intolerable y muy probablemente no pueda hacerlo.*

Sin embargo, a esta altura, el lector ya sabe, por motivos físicos (las páginas que le faltan leer), que la novela continúa. Quede, entonces, ese comentario como recuerdo de que, a las dificultades literarias, se sumaron, en la escritura de este libro, las dificultades psicológicas de la autora.

Cecilia

Esmé seguía avanzando en su carrera como creativa. La forma de trabajo había cambiado mucho desde los primeros setenta, antes de Francia, la época en que había empezado a trabajar en agencias de publicidad. En aquel momento, salvo en alguna agencia de punta, el departamento de Arte estaba separado de la sala de Redacción. En la sala de arte siempre estaba prendida la radio y los redactores iban a visitar a los diseñadores y directores de arte, siempre dispuestos a charlar aunque tuvieran las manos ocupadas sobre los tableros de dibujo. Allí estaban también los muchachos de producción, recortando y pegando fotolitos: los avisos se armaban así, en forma artesanal. Cuando volvió de Francia, Esmé tuvo que aprender a trabajar en equipo con un director de arte y descubrió cuánto más sensato y agradable era colaborar de ese modo. La gente de arte pensaba con otra cabeza, disparaban imágenes que a su vez disparaban ideas, encontraban la forma de unificar los distintos avisos de una campaña a partir de una identidad gráfica y eran genios para darles carnadura a los comerciales que a Esmé, que venía de la palabra, a veces se le ocurrían solamente como una estructura vacía, una misteriosa *idea*. Había disfrutado mucho pensando a dúo al lado de los tableros en los que se plantaban los bocetos y que comenzaban a ser reemplazados por computadoras.

Ahora era directora creativa en una agencia media-
na. Ganaba mucho dinero pero no tenía horario: en
cualquier momento surgía un almuerzo o, peor todavía, una cena de trabajo, si era necesario quedarse toda
la noche para llegar a tiempo a una presentación, allí
tenía que estar Esmé, coordinando y alentando a sus
equipos. No quería pensar en eso, pero sabía que la
vida de los creativos es muy corta. La publicidad exige
juventud, exige un pensamiento compenetrado con el
presente. La realidad, la vida, el mundo que uno siente como propios, llega quizás hasta los cuarenta años,
después la adaptación es posible pero siempre penosa,
se empieza a mirar a los jóvenes con desconfianza, con
reprobación, o por lo menos con envidia, se empieza
a usar la temible frase «en mi época», y el mundo se
vuelve cada vez más difícil de entender. Después llega,
en el mejor de los casos, la edad del poder, pero no de la
creatividad, y los únicos creativos de más de cincuenta
años que siguen vigentes son los que han conseguido
encaramarse a los lugares de dirigencia, los que han
montado una agencia propia, los que son capaces de
vender una idea ajena, seduciendo a los clientes como
encantadores de serpiente (porque la capacidad de seducción no tiene edad) o los que se han vuelto socios
de la agencia en la que trabajaban (y para eso tienen que
ser, precisamente, encantadores de serpientes).

Cuando alguien felicitaba a Esmé por su desarrollo
profesional, ella no podía dejar de pensar en Cecilia.

Cecilia era paraguaya y era maravillosa. Era gorda y alegre y se ocupaba de todo. No trabajaba *cama
adentro* porque estaba casada y tenía una hija mucho
mayor que Natalia, que hacía de baby-sitter cuando
Guido y Esmé querían salir. El interesante desarrollo

profesional de las mujeres de clase media en el país estaba basado en buena parte en el trabajo de esas otras mujeres, que limpiaban casas ajenas, cuidaban chicos ajenos, hacían la comida para familias ajenas, trabajaban afuera de su casa desde siempre, desde la noche de los tiempos, viajando durante horas para ir y volver de su lugar de trabajo, mujeres a las que nadie nunca les preguntaba con admiración cómo se las arreglaban para trabajar y atender al mismo tiempo su casa, su marido y sus hijos.

Sólo a Cecilia podía Esmé confiarle a su hija de ese modo. Desde que había empezado otra vez a trabajar en publicidad, una fantasía única y atroz había llegado a reemplazar y concentrar el conjunto de miedos que la enloquecían cuando su hija era bebé. Esmé tenía miedo de que Natalia se cayera por la ventana. El balcón de la casa tenía una reja de seguridad muy alta en la que crecían enredaderas. Pero las ventanas no tenían protección. Esmé no había podido convencer de esa necesidad a Guido, que la acusaba de loca y muy probablemente tuviera razón. En una pesadilla recurrente que la hacía despertarse gritando, volvía del trabajo y se encontraba con un grupo muy grande de personas entre los que estaban sus vecinos, pero a veces también sus padres, sus primos o sus compañeros de trabajo, reunidos en la puerta del edificio, rodeando algo que no se podía ver. No la miraban ni le hablablan. Esmé se abría paso entre ellos con esfuerzo, porque no querían separarse para dejarla pasar, aunque tampoco la empujaban. Por fin lograba atisbar qué era lo que todos miraban con tanta atención y silencio: en el medio de la muchedumbre, tirada en el suelo, había una calabaza rota y esa calabaza era su hija.

Así, cada vez que Esmé volvía a su casa, una mano de angustia le apretaba el corazón cuando se acercaba al edificio, y volvía a respirar cuando veía que no había ningún grupo inusual de personas reunidas en la puerta, cuando pasaba por el hall para tomar el ascensor y el portero la saludaba normalmente, con una sonrisa. Entonces se tranquilizaba y abría la puerta de su casa sabiendo que nada había pasado, que un día más había transcurrido sin que su hija se cayera por la ventana, y eso era gracias a Cecilia, a la única, gorda y maravillosa Cecilia. Aunque se conocían desde hacía años, Esmé la trataba de usted, como una forma de respeto y de cariño. Y Cecilia la trataba de vos, porque así hablaban la paraguayas.

Era, por supuesto, una relación compleja. Esmé amaba y odiaba a Cecilia, porque dependía de ella y porque pasaba con su hija muchas más horas que ella. Naty la adoraba. Y Cecilia, como cualquier empleada doméstica (ya no se usaban palabras como sirvienta o muchacha y «señora que limpia» era muy poco para denominar a alguien tan poderoso), amaba y odiaba a su patrona, porque tenía que lavarle la ropa y hacerle la comida y cuidar a su hija, y limpiar su mugre y la de su familia, porque tenía todo lo que a ella le faltaba y porque todavía le sobraba como para pagarle el sueldo. Aunque tratándose de Ceci, había que ser muy consciente de la situación para poder concebir siquiera ese odio que la mujer disimulaba incluso para sí misma. Guido no entendía ni le interesaba la complejidad de la situación, para él Cecilia era una gorda macanuda que le cebaba los mejores mates.

Lo de gorda macanuda no le hubiera caído nada bien a Cecilia, que se desesperaba por bajar de peso y asistía a los grupos de Obesos Anónimos. Ella no comía nada de lo que preparaba en la casa para los demás, no se tentaba con galletitas ni con pan. En cambio se traía en sus propios envases de plástico la vianda permitida por su dieta, poca y ligera, en general compuesta por verduras. En la heladera había siempre una botella grande de gaseosa que Cecilia llenaba con un líquido apenas parecido a un jugo de frutas, casi sin calorías, que tomaba a toda hora para controlar el apetito sin demasiado éxito, porque apenas bajaba tres o cuatro kilos, los volvía a subir.

Un día entre los días, un día maldito, Esmé empezó a notar que le faltaba plata del cajón de su dormitorio donde tenía lo que llamaban «la caja chica». Ni Guido ni ella eran demasiado cuidadosos y se propusieron desde ese momento contar la plata juntos todas las noches. Pronto resultó bastante evidente que alguien se estaba llevando dinero de una forma regular y previsible.

—Cecilia —dijo Guido.

—Imposible —dijo Esmé.

Hubieran preferido no contárselo a Natalia, pero de pronto, en medio de la discusión, se la encontraron allí, mirándolos azorada. Estaba muy colorada.

—¿Que te pasa, Naty? —preguntó Esmé.

—Es que… No. No les puedo decir.

—Hijita, no hay nada que no les puedas decir a tus padres —dijo Guido, sabiendo que mentía, pero tan padre ya que casi se había olvidado cómo era ser hijo.

Natalia bajó la cabeza y se miró concentradamente la punta de la zapatilla.

—Es que… yo la vi —dijo Natalia.

—¿La viste qué? ¿A quién?

—A Cecilia. La vi a Cecilia sacando plata del cajón. Pero ella me hizo prometer que nunca les iba a contar. Me dijo que si les contaba se iba a enojar mucho conmigo. Que me iba a pegar.

¡A pegar! Esmé sintió que se le aflojaban las rodillas. Estaba dejando a su hija sola durante horas con una persona que la amenazaba con pegarle. ¡Que quizá le pegaba! ¿Qué clase de madre basura, de madre monstruo era ella que le hacía eso a su propia hija? Después sacudió la cabeza. Nada es imposible tratándose de la conducta humana, pero le costaba pensar que Cecilia pudiera pegarle a Natalia, que además ya era una chiquita lo bastante grande como para defenderse hablando con sus padres.

—¿Te pegó alguna vez? —dijo Guido, con una voz tan indignada, tan amenazadora, que Natalia retrocedió.

—No, papito, nunca jamás me pegó Cecilia, por eso no le creí… Cecilia es buena. Pero después me dijo que si no contaba nada, me iba a ordenar el cuarto todas las tardes antes de que llegue mamá.

Eso resultaba más verosímil. Esmé consideraba que una chica de nueve años debía ser capaz de mantener su habitación soportablemente ordenada y mantenía una guerra intensa y constante para conseguirlo. Le había pedido a Cecilia que no interviniera y en los últimos tiempos tenía la ilusión de que lo estaba logrando.

—Mañana hablo con ella —le dijo a Guido, con un suspiro de desdicha—. No tengo corazón para acusarla de nada. Le voy a decir que… No sé, ya voy a pensar alguna excusa.

Esmé sabía que Cecilia tenía problemas de plata. Tratando de arreglar el techo de su casa, su marido se había caído y se había roto un brazo. El hombre hacía changas y en esas condiciones no podía trabajar; todo el peso de mantener la casa recaía sobre Cecilia. Esmé le había dado un préstamo a devolver de a poco con su sueldo.

Al día siguiente la conversación fue penosa. Guido y Esmé habían decidido despedirla pero perdonarle el préstamo y pagarle la indemnización completa de una sola vez.

—Yo sé de qué me estás acusando vos —dijo Cecilia, cuando supo que la despedían—. Y te digo que estás equivocada.

—Pero Cecilia, si yo no la estoy acusando de nada —dijo Esmé—. Es que decidí trabajar menos y dedicarme más a la casa.

—No me mintás, Esmeralda, si yo sé que te faltaba. —La voz de Cecilia se quebró en un sollozo y bajó la cabeza. —Pero te juro por lo más sagrado que estás equivocada. —Y besó la medallita de la Virgen que traía siempre al cuello.

Cecilia se llevó el táper con su vianda y la botella con jugo de la heladera. Pidió permiso para venir a verla alguna vez a Natalia, pero no se apareció nunca más. Con el tiempo Esmé se enteró de que un año después de irse de su casa Cecilia había caído en una psicosis inexplicable y fulminante, rarísima a su edad (tenía cuarenta y dos años) y estaba internada en el Moyano.

Un día se la encontró por la calle, casi harapienta, cargando un bolso grande y desvencijado. Para entonces todo el episodio había cobrado otro sentido en su recuerdo. La abrazó con emoción

—¡Cecilia! ¡Soy yo, Esmé!

—Ya te vi. Soy loca pero no ciega —le dijo Cecilia—. ¿Tenés un cigarrillo?

—Si sabés que yo no fumo, Ceci.

Cecilia la observó con esa mirada ladina de los locos que han estado mucho tiempo internados y ya no esperan nada bueno del mundo.

—Entonces dame plata para comprar.

Diario 14

Con muchas diferencias, Cecilia está modelada sobre la imagen de Mary, una señora que trabajó doce años en mi casa, cuando mis hijas eran chicas. Nos queríamos mucho y nos tratábamos de usted (no era paraguaya). Sus tres hijas eran mayores que las mías y en algún momento trabajaron conmigo de baby-sitters. Mary era gorda y sufría. En los grupos de ALCO (Asociación de Lucha contra la Obesidad) encontró ayuda.

De pronto, así porque sí, mi querida señora Mary, una persona que había sido perfectamente normal, entró en un estado de depresión gravísima que le cambió la expresión de la cara. Su depresión se agravó hasta llegar al punto en que tuvo que dejar de trabajar porque ya no podía levantarse de la cama. La trataron con una batería de antidepresivos. Un día vino a casa a saludar y parecía otra. Tenía la cara torcida, deformada en una mueca, los ojos brillantes, extraviados. Hablaba con un discurso incoherente, no conseguía terminar una frase y usaba constantemente la muletilla «usted me entiende», «usted ya sabe», para completar los agujeros.

La señora Mary (siempre la llamamos así) fue una persona sensata, inteligente, tranquila y alegre. Mis hijas la querían tanto como yo. A los treinta y nueve años se volvió loca y nadie pudo hacer nada por ella. Durante un tiempo la seguí por muchos y diversos psiquiátricos del conurbano. La obra social de su marido, que era ordenanza en un ministerio, le proveía internaciones y atención médica, pero no tenía un psiquiatra que siguiera su caso. Los médicos, que iban a los lugares de internación de vez en cuando, siempre la estaban viendo por primera vez. Mary entraba y salía de los loqueros y no había nadie que centralizara la información sobre su enfermedad, nadie con quien hablar, nadie que se interesara en ella como persona, nadie que la conociera, nadie que pudiera explicarnos qué le pasaba y por qué. Varias veces fui a visitarla con su marido. Alguna vez la encontramos lastimada, siempre nos decían que se había caído por la escalera o se había golpeado con una puerta. Los medicamentos que controlaban sus síntomas la convertían en una cosa torpe, indiferente y pasiva que chupaba caramelos para atenuar la sequedad de la boca, sucia de saliva seca en las comisuras. Cuando estaba sin dopar, gritaba y se defendía contra enemigos para nosotros invisibles, recibía mensajes a través de la radio y televisión, o de carteles que aparecían en el aire, oía voces que la torturaban. No hay palabras capaces de contener el sufrimiento de sus hijas, que en ese momento eran adolescentes y no querían verla, no soportaban verla así. Nunca se recuperó.

Abuelo León

La segunda vez que Esmé encontró un preservativo en el bolsillo de Guido no fue una sorpresa. Habían pasado varios años y esta vez no era una cajita, sino uno solo, prolijamente envasado en su funda transparente individual. Esmé no tenía puesto el abrigo de Guido, sino que le estaba revisando los bolsillos antes de enviarlo a la tintorería. La función de los preservativos había cambiado mucho, el sida los había devuelto a su sentido original, el que les había dado su nombre oficial: preservar la salud de sus usuarios. Abominados por los hombres de su generación, se habían vuelto, sin embargo, necesarios. Y aunque los hombres se resistieran a cuidarse, muchas mujeres los exigían.

Una noche Naty se quedó a dormir en casa de una amiga que hacía un piyama party. Y a la hora de la cena Guido encontró el preservativo sobre su plato.

—¡Ja ja, seguro que lo encontraste en el saco azul!

—Sí —contestó Esmé. Y tuvo que justificarse: ¿acaso era ella una de esas mujeres que revisan los bolsillos de su marido? —Lo iba a mandar a la tintorería.

—Me lo dieron por la calle —dijo Guido, rápido como siempre, pero menos convincente—. Los estaban repartiendo unos chicos, una campaña de concientización. ¡No me digas que a vos nunca te pasó!

Era posible, por supuesto, pero no era cierto, y
Esmé lo sabía y Guido sabía que ella sabía. Sin comentarios, ella aceptó la excusa y decidió guardarla por el
momento en el cajón de la excusas, que estaba ya aba-
rrotado de viajes inesperados, horarios de trabajo absurdos, anteojos negros de mujer olvidados en el auto
(eran de una clienta de la empresa que nunca los iba a
reclamar, explicó Guido, y se los regaló a Esmé como
prueba de inocencia), o el intento de hacer pasar por
una mancha de grasa de auto el rimmel refregado en
la camisa. (¿Había llorado ella, la del rimmel? ¿Había
llorado por él?) Los dos sabían que el cajón desborda-
ba, que ya no cabía ni una sola excusa más, que cuando
volviera a abrirse ya no podría cerrarse otra vez.

¿Por qué no avanzaba, Esmeralda? ¿Por qué no
seguía adelante, mencionando horarios y actitudes y
esas llamadas telefónicas que se cortaban cuando del
otro lado escuchaban su voz? ¿Acaso era ella una de
esas mujeres que prefieren no enfrentar la verdad,
que tienen miedo? Claro que no. Esmé era capaz de
imaginarse lo peor y encararlo de frente. Ella era una
mujer independiente, fuerte y clara y no tenía miedo.
Podía perfectamente vivir sin Guido. Había otras razones que tal vez en este momento, mientras comían
sin hablar y sin mirarse (el televisor ayudaba), no podía
recordar. Razones para no seguir excavando en ese terreno donde había tierra removida, donde era evidente
que había algo enterrado y no precisamente un tesoro.
La voz de Guido, por ejemplo, su tono, que cambiaba
tanto y tan sin darse cuenta cuando atendía a veces el
teléfono y esa maldita palabra, «idem», que pronunciaba en forma ridículamente impersonal. Idem, lo
mismo, la respuesta formal y distante más adecuada

en esas circunstancias para un te quiero, la respuesta
que evitaba el peligroso yo también. No, Esmé no tenía
miedo. Nada de miedo. O quizá sólo un poco.

Unos días después Esmé salió de compras con su
madre. Naty, que por el momento odiaba todavía las
vidrieras, las caminatas y los probadores, se quedó en
casa de sus abuelos mirando tele, al cuidado de León.
Como cualquier mujer inteligente, Alcira sabía que
una de las más sabias máximas del idioma era la que
informaba que los de afuera son de palo y en todo lo
que tuviera que ver con el matrimonio de su hija tomaba partido por Guido, o tal vez por la institución. Sabía
que ni los consejos ni los comentarios de los demás
pesaban en la intimidad siempre misteriosa de una
pareja. Si el matrimonio se deshacía de todos modos,
nadie podría acusarla de haber ayudado a desencade-
nar la catástrofe. Si la pareja seguía adelante, su hija la
odiaría menos cuando recordara sus palabras en favor
de su marido. Esmé tenía claro cuál era la posición de
su madre y si quería hablar con ella era precisamente
por eso, porque necesitaba escuchar argumentos inteligentes a favor de Guido.

En lugar de recorrer negocios de ropa, se sentaron
en una linda confitería antigua, remodelada, a tomar
un té con masas como los que Esmé recordaba de su
infancia. Hablaron durante casi tres horas.

Cuando volvieron a la casa, el sonido de la tele estaba tan fuerte que se escuchaba desde el ascensor,
Natalia estaba tranquilamente sentada frente al televisor y el abuelo León había muerto.

Lo encontraron en el dormitorio, tirado en el suelo, al lado de la cama. Tenía puesto el mismo piyama
con el que lo dejaron. En los últimos tiempos era difí-

cil convencerlo de que se vistiera si no tenía que salir a la calle. Las dos supieron inmediatamente que estaba muerto. Por el color, por la postura inmóvil y crispada al mismo tiempo, por ese algo más inefable, esa especie de opacidad que irradian los cadáveres. Las dos, sin necesidad de ponerse de acuerdo, fingieron que la situación era grave pero remediable, llamaron a la ambulancia, lo taparon con una colcha azul, como si pudieran abrigarlo de tanto frío. Trataron de que Natalia se quedara en el living pero no pudieron impedir que su carita asustada se asomara por la puerta del dormitorio. Esmé la abrazó como si quisiera volver a meterla adentro de su cuerpo, protegerla del horror de la vida.

El médico de la ambulancia confirmó lo que ya sabían y no se lo quiso llevar. Llevaba muerto unas dos horas ya, les dijo. No se podía saber con exactitud si no se hacía autopsia, pero con esos antecedentes un infarto masivo no era un desenlace raro. El médico era muy joven, muy morocho y estaba nervioso. Tenía un pequeño defecto de dicción que hacía sus palabras un poco confusas, sobre todo para Alcira, que no oía bien. No había mucho que decir, pero el muchacho estaba angustiado y habló largamente de la activación simpáticosuprarrenal, la repolarización cardíaca normal, el aumento de la trombogénesis, la inflamación y la vasoconstricción, como si esas palabras misteriosas, incomprensibles para los legos, fueran parte de un ritual que las ayudaría de algún modo a aceptar lo inaceptable.

Sólo cuando se fue el médico Alcira pudo echarse a llorar y Esmé fue a llamar a Guido. Naty estaba muy callada, acurrucada en un rincón del sillón grande.

En los días que siguieron, Alcira hizo muchas preguntas. Como si saber, conocer los detalles, pudiera servir para volver el tiempo hacia atrás, corregir los errores. ¿No había pedido el abuelo algo dulce? No estaba segura, a lo mejor sí, contestaba Naty, ¿pero acaso a ella no le habían explicado que el abuelo era diabético? ¿Que el azúcar le hacía mal, muy mal? ¿No había una Coca en la heladera?, preguntaba Alcira. Había, explicaba Naty, y ella se la había tomado. Estaba muy fría y muy rica. El abuelo había estado buscando algo en la cocina (azúcar, pensaba Alcira, buscaba azúcar, azúcar, azúcar, sabía que estaba sufriendo una crisis de hipoglucemia y buscaba desesperadamente azúcar) y después se había ido al dormitorio. El azucarero, sin embargo, estaba en su lugar. ¿No había gritado, el abuelo, no había pedido ayuda?

—Mamá, ¿estás loca? Dejala en paz. ¿Vas a acusar a una chiquita de diez años de haberse tomado una coca?

—No estoy loca, no es tan chiquita y no la estoy acusando de nada. Solamente quiero saber.

—¿Saber qué? Papá se suicidó, ya sabés eso. Se fue matando despacito, desde hace mucho. ¿Querías saber más? ¡Podías haber pedido una autopsia!

—Quiero saber por qué, hijita. Por qué mierda, si estuvimos juntos toda la vida, no estaba yo con él en ese momento. ¡Eso quiero saber!

Lo importante, lo único importante, era que la sensación de culpa, la maldita culpa, no dañara a Natalia, la última persona que había visto al abuelo con vida, la que estaba con él cuando se murió.

—¿Extrañás al abuelo? —le preguntó Esmé unos días después.

—A veces sí y a veces no. —Natalia la miró con sus ojos límpidos. —El abuelo tenía feo olor.

Esmé la acarició, conmovida por su transparencia. La vida le enseñaría a mentir. Entretanto, había que hacer algo para contrarrestar esa experiencia atroz, para librarla de la culpa dolorosa de haber sido la última persona que vio al abuelo vivo y no haber podido hacer nada para ayudarlo. Y sus padres decidieron aplicarle a Natalia el único remedio argentino, la panacea nacional para todos los males del cuerpo y el espíritu.

Así comenzó Natalia su primer tratamiento, con una psicóloga especializada en niños que por suerte tenía su consultorio en el mismo edificio donde vivía la familia, un lugar menos adonde llevarla y traerla. Al principio Natalia se negaba a ir al consultorio. Decía que se aburría, que la doctora Eberman siempre quería jugar a las cartas y le salía mal. Que sólo sabía jugar al rummy y a la casita robada. Después dejó de hacer comentarios y sus padres se sintieron aliviados cuando la doctora los citó en su consultorio. Necesitaban información.

Después de un largo silencio incómodo, que al parecer la terapeuta consideraba necesario, la reunión comenzó de un modo bastante tradicional.

—¿Por qué creen que los cité hoy para conversar?

Esmé intentó varias respuestas que cayeron en el silencio. Guido se limitaba a escuchar. La razón que terminó por dar la doctora Eberman era fácil de entender: Naty estaba faltando mucho y además no habían pagado todavía el primer mes.

Guido y Esmé se miraron desconcertados y tardaron un rato en darse cuenta de que Natalia se había quedado con el dinero. Era una suma bastante importante. Pero además, ¿adónde iba cuando les decía que estaba en sesión?

Natalia no intentó negar nada. Les explicó con buenos argumentos que la doctora era tonta (algo que Guido ya había empezado a sospechar), que ella no tenía ningún problema de la cabeza, que a la hora de sesión se encontraba con sus amigas de la escuela en el nuevo shopping del barrio y que se había gastado la plata en *milk shakes* y golosinas. Que en vez de mandarla a la psicóloga, por qué no le compraban una computadora. Y después hizo que los ojos de sus padres se llenaran de lágrimas.

—Prometo que les voy a devolver todo, hasta el último centavo.

—¿Con qué plata, Naty? —dijo Esmé, severa como nunca.

—Con la plata de mis dientes. ¡Todavía me quedan varias muelas de leche!

A pesar de estar conmovidos por la oferta, Guido y Esmé decidieron que, en efecto, los ratones no le traerían más dinero a Natalia a cambio de las muelas que ya no pondría debajo de la almohada. Le prohibieron ir al shopping por el resto del año. Esmé tuvo una reunión con la maestra que terminó de tranquilizarla. Los parámetros de normalidad en la escuela son claros y son tres: si un chico no molesta en clase, obtiene buenas calificaciones y tiene amigos, es normal. Natalia, según la maestra, estaba perfectamente bien. La muerte de su abuelo no parecía haberla golpeado mucho, no había cambiado su conducta y, como siempre, tenía muchas amigas sobre las que parecía ejercer gran influencia. Decidieron librarla de la doctora Eberman.

—A la fuerza no sirve —dijo Esmé, cuando le contó a su madre toda la historia, muy avergonzada.

—¡Esta chica sale a mí! —dijo la abuela Alcira, riéndose—. ¿No te conté mil veces cuando me quedaba con la plata de la profe de piano y la usaba para invitar a mis compañeras a tomar naranjín y comer sánguiches de jamón y queso en la lechería?

—¡Claro que lo contaste mil veces! ¡A mí y a ella! ¡De ahí sacó la idea!

—Ah, claro. Ahora, como siempre, me vas a echar la culpa a mí. Y bueno, soy tu madre, ya estoy acostumbrada.

Lo cierto es que la niñez de Natalia estaba terminando. Poniendo el oído en el suelo se escuchaba ya el sonido de la adolescencia que se acercaba al galope, golpeando el suelo con sus cascos de hierro.

Diario 15

Esta familia sigue sin tener apellido. No es una cuestión menor. El apellido delata el origen, define ciertas costumbres, cierto tipo de relación entre los personajes, ciertos recuerdos de familia. Esmé parece judía, es inevitable. Guido podría ser de familia mediterránea, aunque prefiero no recurrir a una familia argentina promedio de españoles o italianos o su muy frecuente cruce. También podrían ser croatas o griegos...

Me informa la web que veintiún países forman parte de la cuenca del mar Mediterráneo: once europeos, cinco asiáticos y cinco africanos. Tengo para elegir. Incluyendo a los africanos: después de todo, mi propia abuela paterna era de origen marroquí.

Y sigo con la duda.

Un comentario sobre la trama (o falta de trama) de esta quizá novela. No soy capaz de dominar una trama cerrada y tampoco me interesa. Nunca me fascinaron las novelas policiales y, en términos más generales, me irritan las novelas en las que, en los últimos capítulos, se revela un secreto que da sentido o modifica el significado de lo anterior. Con los años, con las lecturas, las tramas cerradas me gustan cada vez menos, se me vuelven cada vez más previsibles. Incluso en novelas notables, como *El mar* o *Antigua Luz*, de John Banville, me fastidia el escamoteo deliberado de ciertos datos para sorprender a un lector que, a fuerza de experiencia, ya no se sorprende de nada. En cambio admiro esas novelas deshilachadas, de trama abierta, aparentemente sin suspenso (pero lo tienen) y sobre todo sin intriga y sin resolución, como las de Kawabata (*Lo bello y lo triste*, *La casa de las bellas durmientes*).

Por alguna razón, no siento la necesidad de mencionar en este diario mis lecturas de formación, sino las que estoy leyendo mientras escribo. Tal vez, precisamente, porque es un diario.

Divorcio

A veces Esmé intentaba mirar desde afuera su propia vida. ¿Cómo contaría ella, por ejemplo, la historia de su matrimonio? ¿A través de sus peleas? ¿De sus momentos felices? ¿De ciertas circunstancias cotidianas? ¿Podría ponerse en el lugar de Guido, verse a sí misma desde su mirada? No podía, no quería.

Es una historia que podría relatarse a través de tres situaciones muy parecidas. Esta escena, la tercera en la que interviene un elemento que sale de un bolsillo, sucede en un restaurante tradicional de Buenos Aires. Es muy tarde. Guido y Esmeralda han cenado con amigos. El lugar les trae recuerdos de infancia. Desde el menú hasta las cabezas de ciervo un poco apolilladas que decoran las paredes, todo los predispone a la ternura.

La cena ha terminado. Hay seis personas en la mesa. Se toma café y todos fuman. Todavía no está prohibido fumar en lugares públicos. Dentro de diez años, de las seis personas sentadas a la mesa, una habrá muerto de cáncer (un tipo de cáncer no relacionado con el tabaco) y otras tres habrán dejado de fumar. Una de las mujeres saca un cigarrillo y Guido se lo enciende con un fósforo, haciendo un comentario divertido acerca de la constante eficacia de los fósforos en comparación con el mejor encendedor.

Esmé toma la cajita de fósforos que Guido ha sacado del bolsillo y que lleva impresa la publicidad de un
hotel por horas.

—¿Qué es esto? —pregunta, con voz tranquila,
como si no lo supiera.

—Me lo dio un amigo —contesta Guido.

Entonces, inesperadamente, sobre todo para ella
misma, Esmé le da una bofetada a su marido, que
Guido devuelve casi de inmediato. Se trata de algo
nuevo, una rápida conjunción de sucesos que jamás
se habían producido entre ellos y que no volverá a suceder. Los dos están asombrados de lo que acaban de
hacer y se miran perplejos. ¿Cómo seguir, ahora, qué
viene a continuación? Los amigos, avergonzados, no
saben si deben intervenir, despedirse, o fingir que no
pasó nada y seguir conversando.

—¿Qué tengo que hacer? —le pregunta Esmé a su
madre, unos días después, con la intención de hacer
precisamente lo contrario.

—¿Qué tenés ganas de hacer? —contesta Alcira,
que sabe perfectamente lo que su hija espera de ella y
no está dispuesta a darle el gusto.

—No sé. Ni siquiera sé si soy yo la que decide. Qué
hijo de puta.

—¿Y vos nunca…?

—No compares, no tiene nada que ver, los cuernos
es lo de menos: lo de Guido es descuido, es indiferencia, es que no le importa nada de mí. ¡No le importo lo
bastante como para tirar la caja de fósforos en vez de
metérsela en el bolsillo!

Cuando Natalia entró al secundario, ya hacía unos
años que había una computadora en su casa y, como buena parte de su generación, era hija de padres separados.

Diario 16

Leí en estos días las memorias de un hombre que nunca fue escritor, Emilio Poblet Díaz. Conmovedoras precisamente en lo que menos tienen de literario, esas memorias relatan, entre otras cosas, la historia aterradora de la locura del padre de Emilio. Perdido en su pesadilla psicótica, el hombre trata de matar a su hijito de ocho años, que es todo lo que tiene en el mundo.

No voy a añadir nada nuevo a la antigua cuestión del filicidio, largamente estudiada por psicoanalistas y sociólogos. El amor de los padres hacia los hijos es un amor que incluye una dosis de locura. Una pizca más allá se convierte en odio, incluye el odio. No es sólo por vengarse de Jasón que Medea mata a sus hijos. Es también para librarse de sus hijos, es por sus hijos mismos, por la frenética relación que los une, por esa sensación de dependencia absoluta que provoca el amor maternal. Se depende de lo que se ama. Cuando se ama de manera tan absoluta y brutal, se depende absoluta, brutalmente. ¿Quién quiere en realidad que sus hijos sean independientes? Sólo es independiente de verdad el que no quiere a nadie. El que ama vive la vida del otro, sigue sus vaivenes. Se revive en la sonrisa de un hijo, se muere en su llanto, ¿cómo podríamos no odiarlos? ¿No es natural, entonces, que una madre diga a veces, hablando de sus hijos pequeños, esa frase tradicional y simbólica, *me dan ganas de tirarlos por el balcón?* ¿No es natural que a veces, en un rapto de locura, los tire y se tire con ellos? ¿No es natural el deseo de matar a quien amamos tanto? ¿Por qué no son una parte nuestra, cómo se atreven a tener sus propios gustos, sus deseos, sus ilusiones, sus saberes, sus esperanzas y no las nuestras? No es aceptable, no es tolerable que sean personas separadas de nuestro cuerpo, de nuestra psiquis. «Tus hijos son hijos del viento», decía en aquellas épocas Gibran Jalil Gibran, gurú (de segunda calidad) de mi generación. Ridícula mentira.

Tal vez por eso la necesidad en mí de esta novela, de esta hija. Mientras la escribo, estoy leyendo otros libros sobre hijos difíciles, algo que parece ser una angustia típica de mi generación, perturbada por lo que vino después, por el resultado, quizá, de nuestra propia rebelión. En *Todo cuanto amé*, Siri Hustvedt tuvo la inteligencia de contar la historia no a través de uno de los padres del chico, sino de un amigo de la familia. Acabo de terminar *La cena*, de Herman Koch, una novela casi policial, que tiene la perturbadora habilidad de persuadir, de identificar al lector con los argumentos de un personaje inteligente y sensato que sin embargo es también un monstruo. *La cena* incluye la idea brillante de mostrar al padre tan horrible, tan deforme como el hijo. Mi Esmé ¿no es demasiado generosa, demasiado buena, demasiado normal? Pero ¿acaso no es así como se siente, como se ve a sí misma, aun a pesar de la culpa, cualquier madre?

La baby-sitter

—Por vos no llamo a la policía. Y no sé si te hago un favor —dijo Pilar.

A las cuatro y media de la madrugada Esmé había saltado de la cama, expulsada de un sueño apacible por el sonido urgente del teléfono. En los pocos segundos que tardó en atender, tuvo tiempo de tranquilizarse. Natalia no había salido con amigos, no había ido a bailar, no estaba de campamento. ¿Y acaso, si así fuera, hubiera estado ella durmiendo?, ¿un sueño apacible?

Natalia había ido a cuidar a la chiquita de Pilar.

Había sido idea de Alcira, una buena idea.

—Es importante que gane su propia plata —había dicho la abuela—. Por ella misma, por su orgullo. Y para que vea que no siempre cae del cielo.

El cielo de donde solía caer plata para Natalia era la casa de su abuela. Que ahora ya no le regalaba juguetes sofisticados, sino dinero en cantidades difíciles de establecer.

—Quiero que siga visitando a su abuela como cuando era chiquita —decía Alcira, hablando de sí misma en tercera persona—. Y para eso tiene que haber una buena razón. Que venga a buscar plata, no me importa con tal de verla.

Natalia iba a almorzar a la casa de su abuela una vez por semana. ¿Cuánto le daba Alcira? Era difícil preguntárselo directamente a Natalia, que mencionaba cifras minúsculas, inverosímiles. Alcira se negaba a contestar.

—Es un secreto entre nosotras —decía—. Pero no te preocupes, no es nada que le vaya a cambiar la vida.

Y sin embargo la vida de Natalia había cambiado mucho y se había vuelto de algún modo difícil de financiar. ¿Cuánto le daba Guido? Poco, pensaba Esmé, tan poco como le pasaba a ella para mantenerla. ¿O todo lo contrario? ¿O le daba a su hija todo lo que a ella le negaba? Era todavía más difícil saberlo, porque no se lo podía preguntar directamente a Natalia. Ahora era muy poco lo que podía preguntarle directamente. Esmé tenía alta conciencia de lo que significaba entrar a la adolescencia. La suya había sido quizá la primera generación de chicos transformados en verdaderos adolescentes, tal como se entendía ahora la palabra. Nunca antes de los sesenta se había producido esa ruptura entre generaciones. Los relatos de Alcira (y las fotos, y las películas, y los libros) hablaban de una época remota, quizá feliz, en que la edad del pavo (esa fracción de vida hoy desaparecida en que los chicos cultivaban acné, torpeza y timidez, potenciados por el despertar hormonal combinado con la represión social) duraba hasta los catorce años y después las personas se convertían en gente joven. La gente joven, ansiosa por dejar atrás la infancia y, en especial, la edad del pavo, se limitaba a imitar a los adultos. Los varones accedían a los pantalones largos, las chicas empezaban a usar con orgullo la ropa de sus madres, todos bailaban con la misma música. Como sucedía desde la época de las cavernas, los viejos refunfuñaban contra los jóvenes, pero el salto, la brecha, no era insalvable. La década del

sesenta en el siglo XX fue quizá la época en que esa grie-
ta se ensanchó, se profundizó, se convirtió en un foso
de cocodrilos destinado a resguardar el castillo de una
adolescencia cada vez más definida, más prestigiosa,
más prolongada, con su propia música, su moda, su
lenguaje, imitada por los niños y por los adultos.

Esmé no se olvidaba de las violentísimas discusiones que había sostenido con sus padres, sobre todo con
Alcira, y se había preparado para que su hija criticara
ácidamente su vida, su ropa, su trabajo, sus amigas. Al
menos en esta primera etapa de la adolescencia, la realidad la había tomado de sorpresa. Natalia era siempre
cariñosa, jamás la enfrentaba y en las raras ocasiones en
que Esmé se enojaba con ella, se levantaba y se iba, dis-
creta y terrible, de la habitación, y cómo detenerla. A su
manera sutil, sin estridencias, también se había vuelto
experta en el arte de manipular padres separados.

Mamá, tengo un problema, había dicho su hija en el
teléfono, a la madrugada, y la maravilla de escuchar su
voz entera y sana había devuelto el alma de Esmeralda,
que revoloteaba cerca del techo, a su cuerpo desma-
dejado. Pilar le había arrebatado el teléfono a Natalia.
Sonaba muy alterada. Esmé se vistió lo más rápido que
pudo, subió al auto y voló hacia allí. Estaba arrepentida
de haberle propuesto ese trabajo de baby-sitter. Ella
conocía bien a Pilar y sabía que podía llegar a descon-
trolarse en un acceso de cólera. Ahora lo único importante era rescatar a su hija, en casa ya hablarían de lo
que había pasado.

Era la tercera vez que Natalia iba a cuidar a Agustina,
la hija de seis años de Pilar, cuando salían los padres.
Las otras dos veces habían sido salidas normales, unas
pocas horas: una fiesta, una salida al cine. Pero esta vez

habían ido a Chascomús a visitar a la madre de Gastón,
el marido de Pilar, y planeaban quedarse a dormir allí.
Era un viernes: le pidieron a Natalia que se quedara
hasta el sábado al mediodía.

—¡En mitad de la noche nos tuvimos que venir!
¡Podríamos haber tenido un accidente en la ruta!

Pilar gritaba desaforadamente, con la cara enrojeci-
da de furia. Desde atrás, Gastón, con aspecto abatido,
le hacía señas a Esmé de que no le contestara. Señas in-
necesarias, porque Esmé conocía a su amiga lo bastante
como para saber que no había nada peor que echar leña
al fuego cuando estaba así. Mejor dejarla desahogarse.
Razones no le faltaban. El estado del departamento
era notable, Esmé nunca había visto algo así. Natalia
estaba sentada en un banquito (el de los acusados) y
lo primero que pensó Esmé es que nunca había visto
a su hija tan hermosa. El pelo espeso y oscuro caía sobre el escote de un vestido de fiesta que no le conocía
(pero quién podía conocer toda la ropa de Natalia) y los
ojos color miel estaban suavemente maquillados con
delineador que se difuminaba en el párpado inferior
marcando unas ojeras que a los catorce años subraya-
ban la belleza todavía infantil de su carita.

Lo primero que percibió Esmé al entrar al departamento fue que a cada paso los zapatos se le quedaban por un instante adheridos al piso entarugado. Una
sustancia oscura y pegajosa cubría todo el parquet en
forma bastante pareja. Esa película uniforme se encontraba interrumpida aquí y allá por charcos de vómito,
sobre todo en los rincones. Después se enteraría que
los jóvenes invitados a la fiesta improvisada se habían
paseado por la casa tambaleantes derramando sus bebidas (en buena parte Coca con fernet) y pisando sobre

el líquido derramado. Había vasos de papel tirados por todas partes, ninguna señal de que se hubiera comido algo y una asombrosa cantidad de cartones de vino y botellas vacías de bebidas alcohólicas de todo tipo y tamaño. Había vasitos repletos de cenizas y colillas, que aparecían tiradas también por el suelo, sobre la mesa. Los almohadones, los sillones, una mesa ratona y la alfombra que estaba debajo presentaban manchas de vino y alguna quemadura. Había sillas tiradas, los almohadones de los sillones estaban desparramados por el suelo, y las dos cortinas del balcón habían sido parcialmente arrancadas de su lugar, como si alguien se hubiera colgado de ellas tratando de mantenerse en pie. También había, por todas partes, una cantidad asombrosa y bastante inexplicable de pelos, en general pegados al piso. Alguien había barrido vidrios rotos y restos de loza o cerámica contra la pared y se había ocupado de poner a salvo el resto de los adornos, ceniceros y floreros, acumulándolos arriba de la biblioteca.

—¿Cómo está Agustina? —preguntó Esmé.

—La chiquita está bien, duerme tranquila —dijo Gastón.

—Mamá, mamita —dijo Natalia, que había percibido el horror pero también el amor en la mirada de su madre—. Nosotros íbamos a dejar todo bien, queríamos limpiar y ordenar ¡pero no nos dejaron!

—¡Limpiar y ordenar! ¿Y todo lo que rompieron? ¿Y lo que arruinaron? ¡¿Qué pensaban hacer con el piso?!

—No sé —dijo Natalia, un poco desconcertada, mirando hacia abajo—. A lo mejor baldearlo…

—¡Me ibas a baldear el parquet, pedazo de infeliz! ¡Para destruírmelo del todo! ¡A las dos de la mañana nos llamaron los vecinos! ¿Sabés cómo la encontramos a esta reventada? ¡Revolcándose con un tipo en mi cama!

Las palabra «reventada» y «revolcarse» produjeron una especie de efecto mágico en Esmé. Si hasta entonces bajaba la cabeza, avergonzada por el comportamiento de Natalia, ahora se irguió y miró a sus amigos tan furiosa como ellos, dispuesta a devolver el ataque. Aunque acababa de enterarse, ella estaba muy orgullosa de la libertad sexual de su hija. ¿Acaso no se habían rebelado, no habían luchado, ella y la misma Pilar, contra la condena que limitaba y encadenaba el deseo de la mujer? ¿Acaso no habían enfrentado a todos los poderes del establishment para conseguir esa libertad que ahora Pilar insultaba con las mismas palabras que otros habían dirigido contra ellas? ¿Acaso no las habían llamado, los otros, los viejos, los monstruos, los envidiosos, «reventadas»? ¿No habían usado la palabra «revolcarse» para hacerlas sentir que estaban haciendo algo inmundo, prohibido, sucio, que las rebajaba a una categoría muy inferior a las mujeres que cambiaban sexo por dinero?

—No te voy a permitir que hables de mi hija en esos términos —dijo con firmeza.

Pero Pilar no la miraba a ella. Estaba completamente fuera de sí, en el punto en el que sus accesos de cólera se salían del cauce marcado por las palabras y pasaban a los hechos. Ya había escuchado Esmé historias de cómo Pilar era capaz de destrozar una vajilla rompiendo pieza por pieza metódicamente contra el suelo, o destrozar con una tijera los mejores trajes de su marido. De golpe, respirando con un jadeo feroz, Pilar se lanzó sobre Natalia, la agarró de la ropa y empezó a zamarrearla mientras la insultaba con las más variadas posibilidades del idioma. Natalia no se defendía, se limitaba a mirarla con los ojos muy abiertos y una semisonrisa que parecía enloquecer todavía más a la dueña de casa. Gastón y Esmé tuvieron que intervenir y separarlas.

—Pilar, querida, vení —la llamaba Gastón, mientras le sostenía los brazos, intentando traerla de vuelta desde ese territorio ajeno y lejano que era su furia desatada—. Vení conmigo, vamos a la cocina que te hago un té, te tomás un Rivotril y a la cucha, yo limpio...

Y mientras tanto le hacía señas a Esmé y a Natalia de que se fueran.

—Yo pago todo —dijo Esmé, antes de irse.

—¡Claro que vas a pagar todo! ¡Porque no me voy a molestar en hacerte una demanda judicial! ¡Voy a tu casa y te rompo todo, te la dejo como me dejaron la mía! —gritó Pilar, mientras su marido la iba empujando de a poco hacia la cocina, hablándole despacito al oído, como se hace con los caballos.

En el auto, Esmé no sabía qué decir.

—No me dijiste que tenías novio.

—Y no tengo, mamá. Te contaría. Vos te hubieras enterado antes que nadie. —Natalia la miraba con su carita confiada y tranquila.

—¿Pilar mintió?

—No, no mintió. Pero no era un novio. Era un chico. ¿Vos nunca tuviste algo con un chico que no fuera un novio?

Esmé miró hacia atrás y tuvo que admitir que sí, que había tenido. Que por más que su madre tratara de inculcarle la idea de que una mujer solamente desea al hombre que ama, ella se había calentado más de una vez, culposa y perturbada, con hombres a los que no amaba en absoluto. Aunque no a esa edad, por supuesto. ¿O sí? La memoria era tan traicionera…

—Hijita, hay una sola cosa que…

—Me lo dijiste tantas veces, mamá, no te preocupes, sí, solo con forro. Siempre siempre siempre. No soy suicida. No quiero quedar embarazada, no me quiero morir de SIDA.

—¿De dónde salieron todos esos pelos? —preguntó, tanto como por seguir de algún modo, y también por curiosidad pura.

—Un chico se quedó dormido tirado sobre un sillón y a otros dos se les ocurrió hacerle una broma y cortarle el pelo.

Esmé suspiró mientras su mente se arrastraba hacia adelante tratando de organizar un esquema de acciones. Tendría que hablar con Guido, contarle todo. Había que hablar seria y largamente con Natalia, los dos juntos. Era importante mostrar un frente unido en circunstancias como ésta. La limpieza y el arreglo de los destrozos, obviamente, los pagaría Natalia con sus ahorros, los que ya tenía y los futuros. Había que pensar algún tipo de castigo. ¿Cómo se castiga a una chica de catorce años? No hay muchas posibilidades más allá de prohibirle las salidas. A su madre no le contaría nada. Para qué exhibir otra muestra de su fracaso. Entonces le preguntó a Natalia lo único que de verdad le resultaba un misterio inexplicable.

—¿Cómo puede ser que Agustina no se despertara? ¿Con toda esa música? ¿Y después con los gritos de Pilar?

—Seis años, mamá. Agustina siempre duerme bien. ¿No sabés que los chiquitos tienen el sueño muy profundo? Todavía estaba despierta cuando llegaron los primeros. Por ahí tomó algo de un vaso, no se puede estar en todo.

Y después de un rato de un silencio opresivo, se escuchó otra vez la vocecita de Natalia.

—Mamita… Perdoname. Fue un desastre. Me merezco todo. Que me castiguen. Pagar con mis ahorros. No lo pude parar, ¿sabés? Fue Rita. No me avisó. Yo había arreglado con ella para que me viniera a visitar esa noche y le di la dirección de Pilar. Nunca pensé que iba a invitar a todo el mundo a una fiesta. Fue terrible. Empezó a llegar gente y gente que yo ni conocía, con bebidas… Te juro que traté de echarlos pero seguían llegando… Se me fue de las manos…

Aunque su socio le decía «el tallercito», Guido insistía en hablar de «la empresa textil», y estaba siempre muy ocupado con sus tareas de hombre de negocios, que incluían la lectura de textos de economía y biografías de empresarios sobresalientes. Aceptó de mal humor la desdichada misión de enojarse con su hija.

—¿No la conocías a tu amiga Pilar? ¡Si sabés que es una trastornada! —le dijo a Esmé—. Hiciste muy mal en meterla en esa casa a la pobre Naty. Igual voy a hablar con tu hija, esta vez se pasó de la raya.

Una semana después, cuando Pilar llamó para decir que se había dado cuenta de que le faltaba un paquetito de dólares que tenía guardado en un cajón, Esmé percibió el temblor de la duda en la voz de su ex amiga y ni se molestó en preguntarle a Natalia.

—¡Naty tiene cada cosa! —le dijo Alcira un tiempo después—. Tu hija tiene genes de empresaria, como su papá y su abuelo. Me contó que organizó una fiesta cobrando entrada y que le fue muy bien.

Pero sin duda, pensó Esmé, sintiéndose un poco culpable porque el solo pensarlo implicaba ya una duda, una secreta acusación contra su hija, sin duda no había sido la misma fiesta.

Diario 17

Otra novela de hijo difícil: *Tenemos que hablar de Kevin*. En la ficción, los hijos malos tienden a ser varones. ¿En la realidad también? Sin duda los varones tienen, hasta ahora, aun en esta etapa de la humanidad, mayor propensión a la violencia. ¿Cultura, genes, testosterona? Una sabia combinación, probablemente, como todo lo que le sucede a los humanos.

Tenemos que hablar de Kevin es una novela de la escritora norteamericana Lionel Shriver, y sirvió de base para una mala película. El libro, sin embargo, es bueno. Y aterrador.

La novela está escrita en primera persona. La madre escribe cartas al padre ausente. Su apellido, Katchadourian, es un gran acierto: remite a una familia armenia, le da savia y vida a una historia familiar. Todas las acciones están fechadas con prolija atención y relacionadas con la historia política del país, cada hecho acontece en un barrio en particular, en un lugar bien definido, bien descripto. ¡Ah, las precisiones de la novela! ¿Es posible sortearlas?

Eva, la madre de Kevin, no es una mujer promedio, una madre promedio. El hijo es un monstruo desde su nacimiento mismo, pero sólo ella lo sabe. ¿O lo provoca? Eva no quiere a su hijo. Realiza con corrección mecánica todo lo que se espera de una madre, pero reconoce una profunda falsedad en esa especie de imitación de un amor que no siente. ¿Eva no quiere a su hijo porque comprende desde el primer momento que Kevin es un monstruo o viceversa?

Eso me recuerda otra novela sobre esta cuestión que configura ya un subgénero temático, el de los hijos perturbadores. (¿Pero acaso no lo son todos?) Es *El quinto hijo*, de Doris Lessing. ¿Quién es, qué es ese quinto hijo que viene a trastocar, a deformar la felicidad de la familia? La continuación, *Ben en el mundo*, me resultó decepcionante. La duda se resuelve, la historia se encamina hacia la ciencia ficción y Ben resulta ser una extraña combinación de antiguos genes, una especie de homínido anterior al *Homo sapiens*. Era fascinante, en cambio, pensarlo como un hijo más, y sin embargo diferente, luchando, desde el embarazo mismo, contra el cuerpo extraño, amenazador de esa madre, el cuerpo ajeno del que se alimenta.

Vuelvo a la madre de Kevin, gran personaje. Es una mujer dura consigo misma, consciente de sus errores y sus falencias, de su frialdad y su falta de amor verdadero hacia su hijo: toda su capacidad de pasión está puesta en la relación con su marido y, después, en el amor por su hija menor. La madre de mi novela, en cambio, pivotea entre la confusión y el desconcierto, no entiende el mundo que la rodea, no entiende lo que pasa con su hija. En términos generales, no entiende. Ama desaforadamente a Natalia con un amor pesado, constante, irrevocable.

Para los efectos de la fiesta en casa de Pilar, usé datos de una situación real. Cierta vez tuve que ir a un salón donde se había hecho una fiesta de fin de año del colegio de mis hijas, porque una de ellas había perdido su billetera. Me recibió el dueño del lugar y un socio, dos personas de mi edad. Asqueados y furiosos, atacándome como si yo fuera la responsable personal del estropicio, me llevaron a ver el salón en el que se había realizado la fiesta. Por primera vez entendí por qué mis hijas no aceptaban mis propuestas de hacer una fiesta en casa, un *asalto*, proponía yo, con el vocabulario y la inocencia de una adolescente sesentista. Además de otros desastres (el caos y la destrucción que habían logrado los chicos usando una manguera de incendios era indescriptible), el suelo del salón estaba literalmente cubierto hasta unos veinte centímetros por un par de capas de botellas, petacas, cartones de bebida. Era difícil imaginar cómo y por dónde se movían o bailaban los que participaban en la fiesta. La escena no me hubiera servido a efectos literarios: daba miedo, pero, sobre todo, era inverosímil.

Polvo blanco

Natalia se arrastraba por el secundario con una indiferencia que a Esmé le resultaba dolorosa y a Guido le resultaba natural. De pronto aparecían chispazos de interés. Natalia parecía apasionarse brevemente por una materia, por un tema, por un profesor y Esmé volvía a revivir sus ilusiones. En su imaginación, sólo se trataba de encontrar una vocación. Una vez lanzada en la dirección correcta, como una flecha que va a dar inevitablemente en el centro del blanco, el destino de Natalia sería glamoroso, genial. Su hija era tan brillante, tan extraordinaria, que el mundo no podría evitar reconocerlo.

Cuando Natalia quiso entrar al equipo de hockey del colegio, Esmé se lanzó a estudiar con aplicación las reglas del juego, que ahora le causaba fascinación. ¿Cómo era posible que nunca se hubiera interesado en un deporte tan apasionante? Durante tres meses la imaginó recorriendo el mundo con la selección argentina, marcando los mejores tantos, aclamada en los estadios, en la tapa de todas las revistas. Lo mismo pasó con el tenis, y era todavía mejor, porque como campeona de tenis no tendría que compartir el éxito con ningún equipo que, en el fondo, no hubiera sido más que una carga para su talento. Después fue la natación. Guido, con su personalidad camaleónica, esa disposición natural para mimetizarse con el entorno elegido, al menos en su aspecto externo (una bonita cáscara sin fruto, pensaba ahora Esmé), entendía mucho mejor las breves pasiones de su hija, le preocupaban menos sus defecciones y le compraba las mejores raquetas suizas, se hacían enviar desde Sudáfrica los más sofisticados palos de hockey, trofeos que no se permitía revender cuando la pasión declinaba porque donde hubo fuego cenizas quedan y en cualquier momento todo podía recomenzar, insistía Guido, y terminaban, por lo tanto, amontonándose en la baulera del edificio donde vivían Natalia y Esmé después de la separación, junto con los viejos enseres de pintor que Guido se había traído de París, los que habían sobrevivido a la feria americana en la que se había desprendido de la mayor parte de su disfraz: un caballete, algún boceto sin terminar y un manojo de pinceles y espátulas que no quería usar pero tampoco regalar.

Una extraña ley que equiparaba en el país el valor de la moneda local al valor del dólar había hecho muy accesibles los productos extranjeros. La empresa (o el tallercito) textil de Guido, agobiada por la competencia de la importación, se había reciclado como tantas otras, despidiendo a sus pocos operarios y dedicándose a importar ropa de China. Como empresario militante, Guido le explicaba a su socio —que se ocupaba de luchar sin ayuda con los clientes, los proveedores y los juicios por indemnizaciones— la importancia de participar en las reuniones de la Cámara de la Indumentaria y la Federación de Industrias Textiles. Mientras su amigo bregaba por sostener la empresita, Guido se vestía de sport con jeans Dolce & Gabanna o Calvin Klein y remeras Hilfiger o Ralph Lauren y jugaba al paddle con otros aspirantes a empresarios. O así, al menos, lo veía la más temible de las miradas: la visión impiadosa de una ex esposa traicionada.

Esmé se imaginaba a veces a su hija como una científica que revolucionaba la genética (vaya a saber por qué, pero era siempre, específicamente, la genética, y no otras áreas de la ciencia). Otras veces, releyendo sus redacciones escolares (guardaba todos sus cuadernos), como una genial novelista respetada por la crítica y aclamada por el público. La veía como la primera capitana de un barco de guerra o haciendo cumbre en picos nunca antes alcanzados del Himalaya (ni siquiera por los mismos sherpas). ¿Acaso su propio destino, el de Esmeralda, no podría haber sido distinto si le hubiera tocado nacer en otra etapa del país, del mundo? Su generación había sido tan castigada. La dictadura, el exilio, las sucesivas catástrofes económicas… El primer gobierno democrático había terminado en el caos y la angustia de la hiperinflación. Después de una breve primavera, la recesión agobiaba otra vez al país.

—Porque en realidad —decía Esmé, cuando hablaba con sus amigas sobre los hijos, el tema principal que a pesar de todo dominaba sus conversaciones de mujeres profesionales—, ¿qué quiere uno de los hijos? Lo más fácil y lo más difícil, ¡que sean felices!

Y todas cabeceaban con aprobación y suspiraban y repetían: eso es lo único que quiere uno de los hijos, ¡que sean felices! Y por supuesto, mentían.

Los pobres hijos, reconocía Esmé, porque también ella lo había sufrido en su momento, cargaban, agobiados y sudorosos, con la autoestima de sus padres. Se daba cuenta de que veía a su hija con mirada de madre, diferente pero apenas menos cruel que la que usaba para Guido, esa mirada que nunca había creído que llegaría a tener, tan dura, tan exigente, siempre lista para descubrir la más mínima imperfección, para tratar de disimularla inmediatamente a los ojos del mundo. O todo lo contrario. En una campaña publicitaria para una marca de hamburguesas, Esmé había asistido a varios grupos motivacionales donde se pedía a las madres que describieran a sus hijos. Curiosamente lo primero que surgía era una suerte de competencia entre las mujeres por demostrar cuál de ellas tenía los hijos o hijas más rebeldes, más difíciles, más desobedientes, distraídos, violentos, complicados. Como si necesitaran demostrarse unas a otras y probar ante el mundo las enormes dificultades que debían enfrentar en su improba, penosa tarea de madres. Hablar mal de los hijos es escupir al cielo, decía Alcira. Y quizás en su generación, la de Alcira, en una época hipócrita por excelencia, cuando la opinión de los demás era grave, irrevocable y condenatoria, las madres se limitaran a elogiar a sus hijos. Ahora, por el contrario, era necesaria la intervención del psicólogo que dirigía los grupos para obtener de esas mujeres, con preguntas concretas, una imagen positiva, la descripción de alguna cualidad encomiable en esos hijos tremendos a los que parecían estar condenadas, de los que se sentían culpables.

También la publicidad había cambiado muchísimo en los últimos años. Esmé, que siempre había tenido una imaginación burlona, se daba cuenta de que sólo ahora era posible grabar ciertos comerciales que ella proponía desde los años setenta. El humor comenzaba a dominar la pantalla, por momentos el humor disparatado, aunque todavía hubiera sido imposible realizar esa serie que alguna vez había imaginado para un adhesivo de dentaduras postizas, el sargento Baxter y su dentadura clavada en la espoleta de la granada, Tarzán de liana en liana con el cuchillo entre los dientes, y al empuñar el cuchillo, la dentadura clavada en la hoja. Con los productos para la salud, los cosméticos, los alimentos infantiles, los automóviles, los pañales, el humor salvaje todavía no estaba permitido, pero se expandía agradablemente por todo el resto de los bienes a publicitar. De todos modos Esmé se alegraba mucho de ser ahora una directora creativa, en condiciones de absorber, reutilizar y vender como propia la creatividad de sus equipos jóvenes. Ya había una pequeña cantidad de comerciales que simplemente no entendía, ideas que le resultaban ajenas y extrañas, le costaba acostumbrarse a la pérdida de ciertas normas que habían parecido inamovibles y eternas, como la necesidad de repetir tantas veces como fuera posible el nombre del producto, que a veces ya ni siquiera se mencionaba. Trabajaba en una agencia más chica, no ganaba tanto como hacía unos años y sabía que sus días como publicitaria estaban contados.

El celular todavía era un pequeño lujo cuando Natalia estaba en tercer año, pero ella lo tuvo. Terminaba la década del noventa y todas las ilusiones y fantasías que Guido había puesto en su empresa, más todo el trabajo y la inversión que había puesto su socio, empezaban a disiparse en el aire. Sin embargo, le alcanzó para hacerle a su hija ese regalo de cumpleaños. A condición, claro, de que Esmeralda pagara la línea. Los ingresos de Esmé se habían achicado y no se trataba solamente de su edad. Con la economía del país estancada, las luces brillantes de la actividad publicitaria eran las primeras en apagarse poco a poco. Se filmaban

menos comerciales, se reducían las pautas, se publi-
caban menos avisos, bajaban los sueldos. Hasta los
ahorros de Alcira en moneda extranjera, que parecían
eternos, habían sido diezmados por la sobrevaluación
del peso argentino y la abuela de Natalia empezaba a
preocuparse.

Fue a través del celular, entonces, que le llegó a
Esmé la voz de Natalia.

—Mamá, tengo un problema. Vas a tener que venir
mañana al cole. Vos y papá, después te cuento.

Esa noche Esmé la vio decaída, ensimismada. Naty seguía siendo alegre, a pesar de que ahora se vestía
con los colores oscuros de la adolescencia, sobre todo
el negro y el gris. En el colegio secundario de Esmé,
allá por los sesenta, el uniforme era obligatorio y había pocas cosas que ella y sus compañeras odiaran
tanto como las polleras grises tableadas, las camisas
celestes y los pulóveres azules que estaban obligadas
a usar día tras día. Un lejanísimo día las chicas de la
división se habían puesto de acuerdo para ir todas
con pulóveres rojos, en un loco y brutal desafío a los
códigos de la institución. Ahora, cuando ya casi no
había colegios con uniforme obligatorio y ni siquiera
se usaban delantales blancos en los secundarios del
Estado, la entrada y la salida de un colegio se veía a la
distancia como una especie de nubarrón de tormen-
ta, que al acercarse se resolvía en un montón de chicos
y chicas vestidos todos iguales, voluntariamente uni-
formados con jeans o pantalones de gimnasia y bu-
zos oscuros, siempre oscuros, con zapatillas, siempre
con zapatillas, y curiosamente sentados en la vereda
porque ya no era imprescindible que la ropa estuvie-
se planchada, ni siquiera limpia, ni había que dedi-

carle, a la ropa, cuidados especiales de ningún tipo. Los jóvenes usaban flúo para las fiestas raves, pero en términos generales los colores vivos, cálidos, alegres, intensos, el rojo, el amarillo, el turquesa, el naranja, se habían convertido en marca de adultez avanzada, en el patético sello de vieja colorinche.

La Naty alegre, entonces, siempre dispuesta a contar todo tipo de menudencias sobre su día escolar, especialmente divertida al hablar de Rita, su amiga del alma y blanco permanente de sus críticas más graciosas y severas, había sido reemplazada esa noche por una chica que parecía mayor, concentrada en sí misma, que miraba el pastel de papas con una atención digna de alguien a quien no le gustaran las pasas de uva, como si estuviera dispuesta a detectarlas y extraerlas una por una. Y eso fue exactamente lo que empezó a hacer.

—Pero Natalia, ¡si siempre te gustaban!

—Ahora no me gustan más —dijo Natalia, sombría—. Parecen moscas.

—¿Para qué tenemos que ir mañana al colegio?

—A las once. Para hablar con la directora. Es importante. Me duele la cabeza, mamá.

Y ya no fue posible extraerle más información.

A la mañana temprano una llamada de la secretaria confirmó la información de Natalia. Pero Esmeralda, a las once, tenía que estar presentando una campaña para un nuevo antitranspirante que se publicitaba como intensamente masculino con la idea de vendérselo a las mujeres, una curiosa paradoja moderna, no buscada, cuya realidad práctica habían comprobado las investigaciones de marketing. Guido intentó resistirse pero finalmente se vio obligado a hacerse cargo.

Esmé había terminado su compromiso de trabajo, almuerzo con cliente incluido, y estaba llegando a su casa cuando recibió el llamado.

—Voy para allá —dijo Guido—. Quiero que revises el cuarto de Natalia.

—¿Para buscar qué?

—No sé. Cualquier cosa que te parezca rara.

—¿Yo le tengo que allanar la pieza cuando no está? ¿Yo tengo que ser la responsable de lo peor, como siempre, de lo más jodido? ¿Yo soy la que reta, la que pone límites, la que castiga y vos sos el buenito que mima y hace regalos los fines de semana?

—OK, lo hacemos juntos —suspiró Guido, con buenas razones para estar harto y pocas ganas de discutir—. Llego en quince.

No tuvieron que buscar mucho. En el fondo del ropero, apenas disimulada por una caja de zapatos, había una bolsita de plástico transparente, sin marca, que contenía aproximadamente cincuenta gramos de polvo blanco.

Esmé se echó a llorar. Temblando, por primera vez en varios años se dejó abrazar por Guido, que respiraba agitado, casi jadeando.

Guido relató la penosa reunión con Cachavacha Medibacha, como llamaban los chicos a la directora del colegio, en alusión a la única concesión a la moda que la mujer se permitía dentro de un vestuario elegante pero clásico: sus medias siempre cambiantes, con apliques de brillantina y calados diversos.

La Cachavacha lamentó la ausencia de la madre de Natalia. Estaba con ella un preceptor al que presentó como Lucas. Con muchos rodeos, como quien trata de avanzar hacia una meta que al mismo tiempo se desea

evitar, contradictoria y confusa, la directora habló de
Natalia sin decir nada nuevo, nada que no hubieran dicho otros, habló de su belleza, su simpatía, su ascen-
diente sobre sus compañeros y el discurso fue derivan-
do hacia la zona perturbadora, la zona a la que deseaba y
no deseaba llegar, habló de los chicos de hoy, de la adolescencia, de la década de los noventa, de la falta de valores, de la responsabilidad que tenían ellos, los adultos,
preguntó si habían detectado, observado cambios en la
conducta de Natalia, se acercó, se alejó, rodeó, hasta que
Guido terminó por preguntarle brutalmente si se refería
a la droga, si lo que quería decir, lo que le estaba diciendo, era que su hija era adicta a las drogas, a alguna droga
o a muchas o a todas o en todo caso a cuáles. La directora
miró a Lucas, un muchacho relativamente joven, que le
devolvió la mirada con preocupación, como empuján-
dola hacia adelante, y Guido no pudo dejar de pensar
qué fracasos, qué calamidades, qué adicciones podrían
haber hecho que un muchacho como Lucas, de más de
treinta años y un acento educado que denotaba estudios, hogar de clase media, estuviera trabajando como
preceptor —trabajo miserable, sueldo miserable— a esa
altura de la vida.

En resumen, lo que Guido le contó a Esmé fue que
en la reunión con la directora no la habían acusado a
Natalia de drogadicta sino de *dealer*, de llevar adelante
una acción de ventas que en realidad no estaría ejer-
ciendo ella en forma directa y personal sino como pequeña capitalista a través de otros chicos. Uno de ellos
fue denunciado por sus compañeros y se comprobó
que llevaba encima lo que no debía llevar (en este punto ni Lucas ni la directora fueron muy precisos). A su
vez el chico había acusado a Natalia de ser la organiza-

dora de una modesta red de tráfico dentro del colegio, con la que él estaba colaborando involuntariamente, o al menos en contra de sus principios, impulsado y en cierto modo disculpado, al menos a sus propios ojos, por el amor.

Guido supo enseguida quién era, con toda probabilidad, el chico al que hacían referencia y también lo supo Esmé que escuchaba su relato, Natalia les había hablado muchas veces de Lautaro, el monótono, bueno y aburrido Lautaro que la perseguía sin pausa y sin esperanzas.

—Se quiso vengar —dijo Esmé.

—Eso les dije —aseguró Guido—, pero no quisieron escucharme. Lautaro es muy buen alumno, sabés cómo son los docentes, si un chico tiene buenas notas y no molesta lo tienen por las nubes, no se dan cuenta de que a veces ésos son los peores, los que se van a aparecer un día con una metralleta en la clase de gimnasia.

En efecto, la reunión siguió adelante casi como si no lo hubieran escuchado, contó Guido.

—No hace falta ningún escándalo que perjudique a su hija —había explicado la directora—. Proponemos que Natalia se vaya discretamente del colegio, con alguna excusa. Quizás un viaje familiar, decídanlo ustedes. De lo contrario se va a quedar libre por razones de conducta. Tendría que rendir todas las materias para volver al colegio y esperamos que no lo intente.

Por supuesto que de ningún modo habría una expulsión, podía estar tranquilo en ese sentido, dijo la Cachavacha, jamás una expulsión que pudiera complicar el ingreso de Natalia a otra institución, de ninguna manera querían ellos complicar el futuro sin duda bueno, sin duda maravilloso, de una de sus estudiantes, sólo por un traspié, una locura de adolescente, una situación que sin duda se modificaría con la intervención de los padres. Pero tampoco querían seguir manteniéndola, no por ahora, en ese colegio, entre sus alumnos.

Esmé se odió a sí misma por no haber estado en esa reunión, por haberle dejado a Guido la responsabilidad de esa conversación que sin duda no había sabido manejar como correspondía, ella lo hubiera hecho mucho, muchísimo mejor, ella hubiera conseguido persuadir a la Cachavacha Medibacha de que Natalia estaba siendo injustamente, muy injustamente acusada por un chico que nada tenía que perder al desplazar en otro su culpa concreta y real. Por qué no había estado presente en esa reunión y en muchas otras, por qué no había estado presente en muchos otros momentos de la vida de su hija, una vida que ahora corría el riesgo de perderse para siempre, de deshacerse convertida en ese maldito polvo blanco.

Y sin hablarlo, sin mirarse, pero sosteniéndose uno al otro tomados de las manos con mucha fuerza, mientras al mismo tiempo se acusaban mutuamente de lo que le estaba pasando a su pobre Natalia, recordaron sus primeras experiencias con marihuana, que los dos seguían fumando de vez en cuando. Esmé no pudo dejar de pensar (y por primera vez se lo contó a Guido) en el proveedor de polvo blanco que pasaba por la agencia con la misma regularidad aunque con más frecuencia de la que, en otras épocas, pasaban los vendedores de esos libros de arte que ahora habían sido reemplazados por Internet. Incluso lo había probado Esmé, pero sólo una vez (y no le contó eso a Guido porque no quería escuchar sus acusaciones, sus comentarios sarcásticos), había aspirado ese polvillo blanco que no le produjo más efecto que una cierta claridad mental, como si alguien, de pronto, hubiera encendido una luz adentro de su mente, que (pero nunca lo había sabido hasta ese momento) estaba en realidad en penumbras.

Sabían, los dos, y lo consideraron, lo sopesaron, que las nuevas generaciones, y no sólo los adolescentes sino la gente, no toda quizá, pero sin duda mucha gente, diez o quince años menor que ellos, usaba droga para trabajar o para divertirse sin ser necesariamente adictos, pero esa aceptación se volvía mentira, se volvía inútil cuando se trataba de su hija, de Natalia, de ese misterio en el que se había convertido Natalia, siempre en peligro para Esmé, siempre al borde del abismo, en el abismo ya, tal vez. Guido se enojaba, se alteraba.

—Igual que siempre —le gritó a Esmé—. ¡Estás psicótica, demente! ¡Tu cabeza trabaja igual que cuando pensabas que Naty se iba a caer por la ventana y nos querías tener en la oscuridad, con las persianas bajas, como una maniática que sos! A Natalia no le pasa nada, ni siquiera fue eso lo que me dijeron: ¡no le pasa nada de nada!

Entonces llegó Natalia.

Primero fue pura sorpresa: era muy raro, muy inesperado que su padre entrara a la casa en la que vivía con su mamá. Pero le bastó un vistazo a los ojos enrojecidos de Esmé, a la cara fuera de registro de Guido para darse cuenta.

—Consejo de guerra… Hablaron con la Cachavacha. ¿Qué les dijo la bruja? ¿Se inventó otra cosa para sacarles más plata? ¿Necesita medias nuevas?

—Hablé yo —dijo Guido. La terrible bolsita de polvo blanco estaba arriba de la mesa. —¿Qué es esto?

—¡Me revisaron el cuarto! —gritó Natalia. Y las lágrimas se asomaron, sin brotar todavía, detenidas sobre la superficie para hacer todavía más hermosos su ojos color miel. —Nunca, nunca jamás creí que ustedes fueran capaces de hacer eso. Que fueran esa clase de padres… ¡Si ustedes mismos me enseñaron que…!

—¿Qué es esto, Natalia? —repitió Guido, cortante, tratando de atajar las explicaciones estremecidas que Esmé ya estaba a punto de intentar.

Antes de que pudieran impedírselo, Natalia arrebató la bolsa, la abrió de un tirón con los dientes y volcó un poco de polvo blanco sobre la mesa.

—Probá. Prueben.

—¡Estás loca! —gritó Guido.

Esmé temblaba, le castañeteaban los dientes.

Natalia se pasó la lengua por un dedo para humedecerlo, lo pasó por el polvo blanco y se lo llevó otra vez a la boca. Guido y Esmé, sorprendidos, la imitaron.

—Está… dulce —dijo Guido.

—Es… es… es… ¡es azúcar impalpable! —dijo Esmé. Y se echó a llorar otra vez.

—Con Rita le queríamos hacer una broma al tarado de Lucas… ¿lo conociste hoy a Lucas, papá? Siempre anda hurgando en nuestras cosas, ¡buscando lo que no hay! Habría que denunciarlo por… por… No tiene derecho, ¿no es cierto? Vos que sos casi abogado, papá… ¿No tengo ninguna protección legal?

Pero a pesar del fenomenal alivio, Guido y Esmé no estaban tranquilos todavía, el alivio era parcial, se refería específicamente al hallazgo en el cuarto de su hija, y no a la reunión en el escritorio de la Cachavacha cuyo contenido Guido le contó a Natalia tratando de no darle un matiz acusatorio a su voz, esperando su descargo,

deseando su descargo, mientras Esmé la miraba espe-
ranzada, con la ilusión de que así como había disuelto
en el aire de su fantasía la supuesta cocaína contenida
en la bolsita, así disiparía las acusaciones sin duda, sin
duda injustas, con que la estaban persiguiendo.

Natalia se sorprendió un poco, indagó un poco
más, se mordió el labio inferior y miró hacia arriba,
como pidiendo ayuda al cielo para enfrentar la estupidez, la incomprensión, la locura del mundo de los
adultos.

—Lautaro, por supuesto —les dijo—. Fue Lautaro,
el mentiroso, el infeliz de Lautaro. ¿Y ustedes le creen
más que a mí? ¿A cualquiera que me acuse de cualquier
cosa le creen más que a mí?

No, por supuesto que no, sus padres no le creían a
cualquiera más que a ella, le creían sobre todo a ella, a
Natalia, a su hija, a sus palabras, a sus ojos.

Entonces Esmé formuló la única pregunta que realmente la enloquecía.

—Pero vos, Naty… vos… mirame a los ojos y de-
cime la verdad… vos…

—Te voy a decir la verdad, mamita. Vos sabés que
podés confiar en mí. —Natalia la miraba con sus ojos
puros, sinceros, sosteniendo la mirada. —No les voy a
decir que nunca me fumé un porro. Ustedes también
lo habrán hecho. Pero la cocaína no me interesa, no es
lo mío. Yo no tengo nada que ver con eso. Nada. Y es
más, yo sé quién vende en el colegio, pero no lo voy a
decir porque no soy buchona. La Cachavacha se está
comiendo cualquiera.

—Entonces —dijo Guido—, si insisten en dejarte
libre por suspensiones, vamos a interponer un recurso
de amparo.

—No sé, papá, ¿te parece? —dijo Natalia, sentándose, ya dispuesta a conversar con más tranquilidad sobre una situación que había cambiado por completo—. ¿Tengo que quedarme en un lugar donde sospechan de mí, donde no me quieren?

Esmé los miró desconcertada, sin opinión.

—¡Sí, claro que tenés que quedarte! —gritó Guido, con voz de no me discutas—. Si te vas ahora, es como declararte culpable.

—Tenés razón, papito —dijo Natalia, pensándolo un momento—. ¡Ésta la vamos a pelear juntos!

Pero el recurso de amparo no fue necesario, bastó con la amenaza. Un colegio privado no quiere escándalos y menos todavía si están relacionados con la droga. Para no retroceder en toda la línea, la Cachavacha habló de su política de confianza y oportunidades, sin retirar del todo la acusación mencionó la posibilidad de un error, y dio a entender, sobre todo en una reunión con Natalia en la que no estaban presentes sus padres, que no habría segunda oportunidad y que estaba dispuesta (aunque Natalia no le creyó) a realizar la denuncia en la policía.

El que se retiró discretamente del colegio fue Lautaro.

Diario 18

Intenté resolver de muchas maneras en mi cabeza, sin escribir una letra, la escena y el diálogo con la directora. No quisiera repetir el mismo procedimiento a lo largo de la novela: una persona que no forma parte de la familia habla con sus padres sobre la conducta de Naty. Y sin embargo, volverá a repetirse porque es parte del tema de la novela. Afuera y adentro, ver y cerrar los ojos. Dada la delicada información que la directora tenía que comunicar, el diálogo directo podría haber derivado en una conversación insoportable, larga y complicada, muy difícil de manejar. No me gusta usar en los diálogos un lenguaje impostado y neutro pero tampoco quiero usar palabras y giros de moda. Con el relato indirecto que hace Guido, encontré un camino que me permitió evitar algunos escollos, sólo algunos (escollos: escribir y navegar, por supuesto). La historia está contada siempre desde el punto de vista de Esmé, pero caramba, Guido es el padre de su hija y una pieza esencial en el rompecabezas de su vida.

Dónde y cómo escribo este libro: solamente a la mañana y en la pieza del fondo, que fue la habitación de mi hija mayor. Después del mediodía, por alguna extraña razón, mi mente entra en barbecho. Puedo escribir notas para diarios o revistas, puedo contestar correo, o entrevistas. Pero no puedo, de ningún modo, escribir ficción, simplemente no sucede.

No me llevo a la pieza del fondo (en las entrevistas la llamo pomposamente «mi estudio») nada tentador, nada que me lleve fuera de esta tarea lenta, no del todo agradable, la primera y penosa versión, de la que uno prefiere escapar con cualquier excusa, dejándose absorber por cualquier distracción. No tengo aquí (ni quiero bajar de Internet) el WinLinez, el único juego que me interesa en la computadora, al que soy adicta. Tengo en esta habitación la biblioteca de poesía, la de literatura latinoamericana y la de literatura popular (anónima, de tradición oral), pero no traigo jamás el libro que estoy leyendo en ese momento. En las pausas, siempre necesarias, leo solamente la Biblia. Muy despacio y sólo por las mañanas, voy avanzando con gloria mientras olvido por completo lo que dejo atrás, porque así es leer después de los sesenta años. Suele suceder, cuando se escribe una novela, que todo lo que se lee, todo lo que sucede alrededor, todo lo que a un escritor le cuentan, imagina, ve o escucha se convierte de una u otra manera en material para el libro en curso. En el Eclesiástico (no confundir con el Eclesiastés) 16. 1-4 leí hoy lo siguiente:

> *No te alegres de que tus hijos se multipliquen,*
> *si son malos; ni te complazcas en ellos si no tienen*
> *temor de Dios. No fíes en su vida, ni cuentes para tu*
> *vejez con sus labores, o puestos y dignidades, porque*
> *mejor es tener un solo hijo temeroso de Dios que mil*
> *hijos malos y más cuenta tiene el morir sin hijos que*
> *dejar hijos malos.*

¿Pero acaso es Natalia una hija mala? ¿Una hija que no tiene temor de Dios? Cómo saberlo. Es tan joven todavía.

El Proyecto Alegría

No había muchas personas en el mundo con quien Esmé pudiera compartir el estado de terror, de confusión, en que la había dejado la posibilidad de que su hija pudiera estar atrapada en las blancas redes de la cocaína. Sólo unas pocas, cercanas y queridas amigas que también tenían hijos adolescentes y que estaban tan desconcertadas como ella. No es lo mío, había dicho Natalia y esa palabras terribles se le imponían en la cabeza como un cartel de neón (pero los carteles de neón ya casi no existían) que se apagaba y se encendía. ¿La había probado, entonces? ¿La había probado y descartado? Imposible hablarlo con su madre, que estaba mucho más lejos que ella de la cuestión, que no tenía idea de qué se trataba, que no sabía o no creía o no podía concebir que tanta gente usara drogas a voluntad, sin ser adictos, como una manera de estar en el mundo, tal como la gente de su edad, la de Alcira, había usado las anfetaminas para estudiar toda la noche o para no dormirse manejando, o para no tener hambre, o para cumplir con el trabajo después de una noche de insomnio pero nunca, eso hay que admitirlo, nunca para divertirse, porque para eso tenían ese antiguo recurso de la humanidad, la alegría del alcohol (que, de todos modos, consumían poco). Si Esmé hablaba de la droga con su madre, era como un tema general, un tema de actualidad, como la inseguridad o el conflicto de Medio Oriente.

Alcira relacionaba las drogas con otras costumbres perturbadoras de la nueva adolescencia.

—Podés estar muy tranquila con tu hija —le dijo a Esmé—. No se hizo ningún tatuaje. Ni se colgó ganchos de la nariz o de la boca, como tantas chicas que veo por la calle.

—No tiene nada que ver, mamá —trataba de explicar Esmé.

Pero también a ella la sorprendía y la alegraba la decisión de su hija de diferenciarse así del resto de su generación. Natalia decía que no quería que la reconocieran por sus tatuajes. Esmé se preguntaba si no tener ninguna marca no era, en una chica de su edad, una forma de hacerse fácilmente reconocible. Pero no lo decía, porque le gustaba mucho que ninguna mancha interrumpiera la piel hermosa y suave de Natalia.

—La droga es un camino de ida. La droga mata —decía Alcira, repitiendo lo que veía en las bienintencionadas y desalentadoras propagandas de la tele, que, en su afán de prevenir, no contemplaban la posibilidad del rescate. Si las nietas de sus amigas tenían esa *enfermedad*, las abuelas no lo sabían o no lo contaban.

—En este país, la militancia mató mucho más que la droga —retrucaba Esmé. Y eso no tenía discusión.

Sin embargo, aunque conocía mucha gente que, en efecto, usaba las drogas a voluntad, ella había visto también cómo la voluntad podía llegar a doblegarse a la droga, había visto amigos, conocidos, compañeros de trabajo con su personalidad deshecha, desmigajada, por culpa de ese polvillo hermoso y terrible que los ayudaba a emitir las ideas más brillantes o a soportar las horas de encierro o a divertirse, en las fiestas, como nunca, o simplemente a cortar la borrachera para seguir tomando. El placer, sin embargo, parecía durar muy poco, enseguida se volvían paranoicos, agresivos y digresivos, su imaginación se bifurcaba sin pausa, se arborizaba, eran capaces de tomar por todos los caminos simultáneamente, no conseguían fijar la atención más que unos segundos y, sobre todo, no podían dejar de hablar, de jugar a nombrar constantemente el tema que se había apoderado de sus mentes febriles, con cualquier excusa mencionaban el polvo, el color blanco y cualquier cosa que pudiera evocar la palabra «blanco» o la palabra «polvo», la nieve, la hoja en blanco, las ovejas, el plumero, y se reían cómplices con esas bromas infinitamente graciosas que a los demás, a los no implicados, les parecían simplemente estúpidas y a ellos, omnipotentes, genios, dueños del mundo por diez minutos, les parecían extraordinarias, brillantes. ¿Así su hija? ¿Así su Natalia, su Naty, tan jovencita, tan chiquita? ¿Como esa amiga de Guido que todavía la llamaba, a veces, con la voz tomada en una especie de resfrío irremediable por culpa del tabique perforado? *Nariz de plata*: uno de los nombres folklóricos del diablo.

Para Guido, una vez que se descartó el recurso de amparo, la cuestión había terminado, un leve temblor de tres puntos en la escala de Richter que apenas había afectado su vida, sin llegar a derrumbar ningún edificio, ninguna certeza. Terminada la pequeña crisis volvían a la distancia habitual, no había nada de qué hablar.

A través de una amiga, Esmé se enteró del Proyecto Alegría, un proyecto de rehabilitación sin internación.

Era muy caro pero valía la pena conocerlo, le aseguró su amiga, sin indagar, respetando la reserva de Esmé. No tenía por qué involucrar a nadie más en la cuestión, lo primero era asistir (gratis) a algunas reuniones de padres que le servirían para conocer el método de trabajo del proyecto, escuchar a otros padres en problemas. Pero ¿era Esmé una madre en problemas? Natalia seguía yendo al colegio como siempre, cumplía con los requisitos mínimos para mantener la regularidad, no se llevaba más materias que de costumbre, tenía, como siempre, muchos amigos. Es cierto que, a partir de la confesión de que fumaba un porro de vez en cuando, y sobre todo a partir de la reacción o, mejor dicho, de la falta de reacción de sus padres, que no consideraban la marihuana una droga peligrosa, Natalia había empezado a fumar en el balcón de su casa (era tanto más seguro que fumara en su casa, y no en la calle, donde estaba a merced de la policía). Desde entonces, más de una vez se hacía difícil hablar con ella. Con los párpados entornados y las pupilas dilatadas, emitía risitas extemporáneas que a Esmé la sacaban de quicio y no alcanzaban a preocupar a Guido, que consideraba la situación un gaje más de la adolescencia. Esmé recordaba su propia adolescencia, en que las drogas eran tanto más difíciles de conseguir y había que conformarse con lo que se encontrara (el Flaco Sivi dándose con anfetaminas, los efectos imprevisibles de la benzedrina, la noche en que Cara de Caballo se había quedado ciego durante algunas horas por hacer experimentos con cloruro de etilo), la tranquilizaba por momentos la indiferencia de Guido, que en otros momentos la volvía loca, y pensaba, a veces, que ella era la responsable, la gran responsable, quizá la única responsable, de que Natalia atravesara el foso de fuego de la adolescencia y llegara del otro lado viva, sana y sin secuelas.

El Proyecto Alegría funcionaba en una casa de altos en Villa Crespo, a la que se accedía por una puerta de reja que daba a una escalera tradicional, de mármol gastado y un poco sucio. En la sala principal se realizaba la reunión de padres. El Proyecto Alegría era carísimo. Tal vez por eso ofrecían a los padres en duda tres encuentros gratis en los que trataban de persuadirlos de que

a) sus hijos eran realmente drogadictos, y

b) sólo podía rescatarlos el Proyecto Alegría.

Esmé se sorprendió de encontrarse allí con algunos padres públicamente conocidos, gente de la televisión o la política: ella hubiera imaginado que esos padres tan expuestos buscarían más discreción, tratamientos privados. Cuando comenzó la charla se dio cuenta de que muchos de los presentes, tanto ignotos como famosos, ya habían pasado por la etapa de los tratamientos privados, algunos habían atravesado también la experiencia de las internaciones, y estaban allí, una vez más sedientos de esperanza, dispuestos a que los convencieran de que se abría para ellos, para sus hijos, una nueva oportunidad.

Como en los grupos de Alcohólicos Anónimos, las dos mujeres que conducían el grupo, una psicóloga y una médica, habían sufrido situaciones similares con sus propios hijos, eran personas inteligentes y sensibles y no prometían nada. Ofrecían apenas la realidad: un veinte por ciento de curaciones, o rescates, o recuperaciones o como quisieran llamarlos.

—Si alguno de ustedes fumó marihuana en la adolescencia, olvídense. Esa experiencia no tiene nada que ver con la que están haciendo sus hijos —dijo una de ellas—. Hoy la marihuana tiene tres veces más sustancia activa, THC, tetrahidrocannabinol, que en la época de ustedes.

Pero Esmé no había fumado marihuana solamente en la adolescencia, cuando la maconia (venía del Brasil y la llamaban así) era además algo todavía un poco raro, muy difícil de conseguir. Como muchos padres de su generación, aunque nunca había fumado mucho, hacía relativamente poco había dejado del todo la marihuana, después de una mala experiencia, una pálida que le había llevado las pulsaciones a 140 durante varias horas y le había provocado un ataque de pánico. Es cierto que la experiencia era completamente diferente: sobre todo porque antes era hija y ahora era madre. Esmé dudaba, dudaba, envidiaba las certezas de otras personas con menos experiencia y más claridad, más empuje, más decisión, gente como su madre, capaz de dividir el mundo en blanco y negro. Cuando empezó a escuchar a los otros padres relatar sus experiencias, el enredo se volvió todavía más intrincado en lugar de organizarse en una prolija fila de certezas.

Una madre joven, separada, que parecía tener menos de cuarenta años, contó una historia aterradora: cómo confirmó la sospecha de que su hijo de doce años era adicto a la cocaína el día en que le pidió que la ayudara a sacar la mesa y el chico le contestó con una trompada que le dejó sangrando la nariz. Su hijo iba a una escuela privada que tenía primaria y secundaria integrada, un compañero más grande le vendía la droga.

Las coordinadoras del grupo explicaban que el Proyecto Alegría no era fácil, y que exigía un altísimo compromiso de los padres. No se trataba solamente del hospital de día, al que había que llevar a los chicos aun en contra de su voluntad, arrastrándolos por la fuerza o amenazándolos con la policía si fuera necesario. También era imprescindible, obligatorio, apartar al adicto de todas las relaciones que lo habían llevado a esa situación. Había que sacarlo del colegio, quitarle todo el dinero, prohibirle la interacción con sus viejos amigos, arrancarle de la pared los posters de bandas musicales que sin duda le recordaban los aspectos más agradables de la adicción, había que mantenerlo controlado y, si fuera necesario, encerrado, día y noche, impedirle toda salida no acompañado. Una madre explicó cómo habían cerrado con llave la puerta del cuarto de su hijo, que esa noche se había escapado por la ventana. El paso siguiente fue tapiar la ventana clavándole tablas.

Una pareja de padres (el hombre usaba un flequillo y unos anteojos sesentistas que habían pasado de moda hacía muchos años) contó que ellos creían haber logrado apartar a su hijo de todo mal. El muchacho no salía solo más que media hora por día para pasear al perro. Hasta que se dieron cuenta de que el ambiente de los paseadores de perros era precisamente donde se hacía la transa, tenían un punto de encuentro en una plaza cercana a su casa y allí le vendían a su hijo la sustancia que, a pesar de su aparente docilidad, seguía consumiendo.

De las propuestas del Proyecto Alegría, que a Esmé le parecían todas imposibles de cumplir, una de las más difíciles le pareció la exigencia de arrancar de la pared los posters de las bandas preferidas de su hija. Se veía entrando en la habitación de Natalia y arrancando, desgarrando como una loca esos afiches desde donde la miraban hombres y mujeres desconocidos (Esmé era incapaz de distinguir y reconocer las bandas que escuchaba su hija, a las que ella llamaba a veces, por error, conjuntos musicales), mientras Natalia la miraba con desconcierto y espanto.

En la segunda reunión las coordinadoras presentaron a una hija con su madre a las que consideraban uno de los grandes éxitos del proyecto. Con mucha sorpresa, Esmé reconoció a una compañera del jardín de infantes de Natalia. La madre contó cómo cierta vez fue a buscar a su hija, que salía de la matinée de un boliche, llegó un poco más temprano de lo convenido y se la encontró con un grupo de amigas fumando marihuana. Sin dudar un momento, le arrancó el porro de la mano, la metió en el auto a empujones, y al día siguiente, mientras la mantenía encerrada con llave en su habitación, buscó y encontró los datos del Proyecto Alegría. La hija la miraba con agradecimiento, con amor, y mientras contaban su experiencia las dos fumaban sin parar cigarrillos de tabaco, detonando el deseo de fumar en otros padres que aportaron también su porción de humo, hasta que la niebla blanquecina se hizo espesa y el aire irrespirable.

Un padre desesperado contó llorando que estaba participando sólo del proyecto con la esperanza de que pudieran ayudarlo. Su hija estaba en la calle. Metida hasta el fondo en la locura de la adicción, no a una sino a varias y simultáneas drogas (como, descubría Esmé, era en realidad lo más común), había sido reclutada por una organización que la prostituía.

Una mujer muy joven, teñida de rubio, que debía tener unos treinta y cinco años, golpeaba el suelo rítmicamente con el pie en estado de excitación piscomotriz. Sólo cuando empezó a hablar Esmé se fijó con más detalle en la pareja de ancianos vestidos de forma modesta y anticuada que se sentaban a su lado. En un entorno en el que la angustia y la culpa eran las sensaciones más compartidas, se destacaba la nota de odio contenido en la voz de la chica. Estaba allí para tratar de ayudar a su marido, y se quejaba amargamente de la incomprensión de sus suegros, los únicos que tenían en sus manos la posibilidad de salvarlo y sin embargo lo abandonaban a la droga. Los dos viejitos empezaron a hablar. Expusieron su causa interrumpiéndose, muy afligidos y con un fuerte acento gallego.

—Él tiene esa enfermedad, pero es nuestro hijo. ¿Qué podemos hacer? —decían—. ¡Nosotros lo queremos igual!

—¡Pero lo quieren mal! ¡Ustedes no le controlan la plata! ¡Él no puede tocar plata! ¿No se dan cuenta para qué la usa?

—¿Y cómo, por Dios, cómo vamos a controlarle la plata? —se preguntaban los viejos—. ¡Si él es el que maneja el negocio!

Se los veía frágiles, no entendían, trataban de atajarse la catarata de bronca que su nuera descargaba sobre ellos. Ella trataba de salvar su pareja, pero si fracasaba, se iría, pensó Esmé. Los padres seguirían encadenados a su hijo, sano o enfermo, hasta la muerte.

Después de las tres reuniones, a través de las historias que escuchaba, tan diferentes de la suya, Esmé se persuadió de que Natalia había dicho la verdad. A veces fumaba marihuana, pero la cocaína, cualquiera fuera el sentido de esas palabras, no era lo suyo. Y el Proyecto Alegría era más de lo que Esmé podía o quería llevar adelante en esas circunstancias.

Diario 19

¿Es válido contar una novela en episodios? Pero aún organizada (o desorganizada) en episodios, una novela podría tener una trama. La vida, sin embargo, no tiene trama. Apelo, entonces, a uno de los más viejos, repetidos y gastados recursos, la misma justificación que se ha usado para explicar la necesidad del naturalismo, el surrealismo, el teatro del absurdo: el redescubrimiento de la realidad.

La literatura es siempre artificio, palabras que sólo pueden ser verosímiles, nunca verdaderas, porque la verdad, esa curiosa construcción, no está en el discurso, sino en los hechos, en la misteriosa, inasible, tal vez inexistente realidad, en el misterioso, inasible, tal vez inexistente pasado. Así ha reclamado siempre cada escuela literaria ser mucho más realista que los cultores del supuesto realismo.

La novela, pobrecita, no ofrece muchas variantes en este aspecto, o tiene trama o tiene viaje. Desde la *Odisea* en adelante, el viaje es el gran recurso para enhebrar episodios. En la novela picaresca, el personaje viaja de un amo al otro, como en mi propia novela, *Los amores de Laurita*, en que la protagonista viaja de un hombre a otro. Una historia de vida es un viaje por el tiempo. Si quiero que sea algo más que un rosario de episodios enhebrados por un hilo, debo conseguir que mis personajes crezcan y cambien.

Para obtener los materiales del Proyecto Alegría, conversé con mi prima B., que alguna vez estuvo en una de esas reuniones de padres y por suerte no le resultó necesario avanzar más allá. Las historias de los otros padres la persuadieron de que el caso de su hijo no era grave.

Me arrepentí un poco de haberla invitado a tomar un café. Mi prima, que es una persona muy exigente y un poco gourmet, rechazó el primer cafecito porque estaba frío, el segundo porque estaba quemado, y tomó el tercero de muy mala gana mientras me contaba su historia. De su experiencia con el Proyecto Alegría, sacó la conclusión (quizás equivocada o no aplicable a todos los casos) de que obligar a una persona a participar en el hospital de día era una medida excelente y necesaria en un caso de adicción severa, y que podía ser negativa y provocar incluso el efecto contrario en alguien que alguna vez usaba o había usado drogas livianas. Habían pasado muchos años, su hijo estaba muy bien y no se arrepentía de su decisión. Siempre le quedó la curiosidad de saber qué fue de aquella chiquita y su madre que fumaban tan orgullosa y desesperadamente tabaco cargado de nicotina, esa droga legal, adictiva y destructora. Hoy, me decía B., mientras se consolaba de la prohibición de fumar en los cafés sosteniendo un cigarrillo apagado entre los dedos, no les habrían permitido fumar cigarrillos así, en un ambiente cerrado.

Almuerzo con amigo

Marcos había sido claro: quiero conversar con vos, es importante; el tono no daba lugar a fantasías y sin embargo la invitación a almorzar le provocaba a Esmeralda un inevitable cosquilleo. El ex compañero del colegio de Guido era también el médico de consulta de la familia, ése al que recurrían cuando no confiaban del todo en el diagnóstico o la atención del prepago. Por otro lado Marcos era un hombre casado y Esmé estaba saliendo con un cliente de la agencia, no una pareja formal, por el momento, pero se le veía el potencial. No había lugar para el cosquilleo. Sin embargo, Esmé había aprendido por experiencia que cuando una mujer joven se divorcia, los primeros en intentar algo son los esposos de las amigas y después los amigos del esposo. Había lugar para el cosquilleo.

Esmeralda sabía también que Lucrecia, la mujer de Marcos, era muy celosa, no de otras mujeres, sino de ese trabajo insalubre al que su marido le entregaba su tiempo y su alma. Marcos no tenía horarios ni tenía días libres, los pacientes podían llamarlo a cualquier hora, y la situación se había agravado en los últimos años, por culpa de esa moda de los celulares, que a muchos les resultaba molesta pero ya nadie se atrevía a considerar pasajera. En todo caso, para hablar de algo importante ¿por qué encontrarse a almorzar en lugar

de citarla en su consultorio? Claro que había lugar para
el cosquilleo.

Siempre era un problema elegir la ropa para medio tiempo. Descartó el vestido gris con los botones
de cuero, era demasiado escotado y no quería sentirse
ridícula en una conversación que quizá girara acerca
de cuestiones de salud. ¿Estaría enfermo Guido?, fan-
taseó. ¿Gravemente enfermo? ¿Le dolía, la apenaba,
la torturaba, le gustaba la idea? ¿Se trataba de la salud
de su madre?, pensó, con una súbita reacción física,
un puño que la golpeaba a la altura del estómago. Pero
para hablar de cuestiones de salud, Marcos la hubiera
citado en su consultorio. ¿Vendría con Lucrecia? Lo
que hubiera sido obvio en una cena se volvía dudoso
en un almuerzo. *Quiero* conversar con vos, y no *queremos,* recordó Esmé.

A la muerte de su padre Esmé había heredado un pequeño capital que no se decidía a invertir. Marcos, uno
de los pocos médicos que ganaban bien en la Argentina,
estaba participando en algunas inversiones inmobiliarias, tal vez un refugio frente al estancamiento económico. ¿Sería ése el tema de la reunión? ¿Con Marcos
y Lucrecia, entonces? La cita era en un restaurante de
Puerto Madero, el nuevo barrio de la ciudad, que crecía rozagante mientras el resto del país se marchitaba.
Habían reciclado los docks con fachada de ladrillo en el
lado este de los diques: abajo se instalaron restaurantes
y arriba oficinas. Y más allá, del otro lado de los diques,
habían comenzado a inventar calles, bulevares, aveni-
das, plazas, monumentos, plazas, parques y fuentes.
Estaba naciendo un barrio de lujo para una nueva clase
social que crecía a un ritmo menor pero proporcional al
aumento de la desocupación y la pobreza.

Esmé se decidió por el trajecito de color rojo aterciopelado, que podía ser bastante formal y se volvía audaz cuando lo usaba sin camisa. Con su medallón de plata mexicana y el perfume francés se sentía lista para hablar de operaciones inmobiliarias o de cualquier otra cosa. Quizá demasiado arreglada para el mediodía.

Esmé se sentía lista para todo, pero no para encontrarse con su ex marido al entrar al restaurante. Maldita casualidad, pensó con fastidio. Lo saludó sonriendo sin ganas.

—¿Qué hacés por acá? ¿Almuerzo de negocios?

—Me encuentro con Marcos, ¿y vos?

¿Entonces los había citado a los dos? Qué disparate. ¿Fantaseaba, el amigo común, con hacer de Celestina? ¿Promover un encuentro en el que podrían recapacitar, reconocerse, reencontrarse? Imposible, Marcos era demasiado inteligente para eso. Había una sola cosa que Guido y Esmeralda seguían teniendo en común. Natalia. Era Natalia. La mente de Esmé empezó a girar enloquecida alrededor de las últimas reticencias, los nuevos silencios de su hija, las ausencias, los misterios. Había sido toda suya y ahora era de la realidad, de sus amigos, de la historia, de su época, sabía tan poco de ella, al despegarse de la infancia se había despegado de su madre, del cuerpo de su madre, aceptaba apenas los abrazos, se limpiaba los besos, Esmé había perdido la magia absoluta de provocar su sonrisa, ya no era para su hija el sol y la luna, era apenas un obstáculo que trataba de interponerse entre ella y el mundo. ¿Natalia podría haber consultado a Marcos sin decírselo? ¿Podía estar enferma? ¿Podía estar embarazada? Era casi intolerable saber todo lo que Natalia podía ahora. Esmé dejó la cartera en una silla, casi jadeando de angustia, sintiendo que se le aflojaban los músculos y las tripas. No. Los hubiera citado en el consultorio. En el consultorio.

Recién cuando volvía del baño se fijó en la ropa desprolija de Guido, en sus mejillas ¿mal afeitadas? ¿o siguiendo las nuevas normas de elegancia masculina que sus padres hubieran llamado «barba de presidiario»? Los tiempos se habían vuelto malos, muy malos para los empresarios que habían empezado tan alegremente la década de los noventa y sus grandes oportunidades. Incluso los importadores estaban sintiendo los efectos de la recesión.

—¿Tenés idea? —le preguntó. Habían estado casados suficiente tiempo como para entenderse con pocas palabras.

—Para nada —dijo Guido—. Si fuera algo de salud, nos hubiera citado en el consultorio.

Esmé se aferró otra vez a esas palabras mágicas que repetía para sus adentros como un mantra. En el consultorio, en el consultorio, en el consultorio.

Marcos llegó sonriendo, saludó sonriendo, se sentó sonriendo. La sonrisa era de plástico. A pesar de su afeitada impecable, se lo veía mucho peor que a Guido. Estaba pálido y ojeroso, con los ojos irritados por lo que parecía ser una crónica falta de sueño.

—¿Elegimos algo? ¿Compartimos primer plato? —preguntó.

—No elegimos nada —dijo Guido—. Primero nos explicás qué estamos haciendo aquí.

—No hay apuro, podríamos comer primero.

—Por supuesto que hay apuro, Marcos —intervino Esmé—. Sos el médico de la familia, estamos asustados.

Los interrumpió un mozo joven y buen mozo, con el pelo atado en una colita. Hacía tan poco que los mozos eran todos viejos, eficientes y gallegos, pensó Esmé. El muchacho traía un pizarrón en el que estaban anotadas las comidas que no figuraban en la carta y que empezó a describir. Guido lo interrumpió sin cortesía en mitad de unas berenjenas aliñadas con aceite de oliva sanjuanino extravirgen, de primera presión en frío.

—Queremos el menú ejecutivo.

Muy amablemente el mozo le señaló en la carta las opciones del menú económico del mediodía, que de todos modos era ridículamente caro. Pidieron agua con gas y sin gas, y en cuanto consiguieron librarse del mozo, Guido volvió a la carga sin necesidad de palabras, con la mirada clavada en su amigo.

—Necesito ayuda —dijo Marcos—. Ustedes son mis amigos. Los dos. No tengo nadie más a quién recurrir.

Que fuera Marcos el que necesitaba ayuda los tranquilizó de inmediato. Esmé sintió una puntita de orgullo pugnando por abrirse paso. Un compañero del colegio de Guido la consideraba tan amiga como a él mismo y eso implicaba cobrar terreno sobre el campo enemigo. Marcos era botín de guerra.

—Bueno, largá —dijo Guido, con fastidio.

La palabra «recurrir» evocaba inmediatamente al dinero.

—No sé por dónde empezar. —Marcos los miró como si estuviera desconcertado, como si no fuera él quien los había citado allí.

—Empezá por el principio —ayudó Guido—. Necesitás ayuda, OK, aquí estamos tus amigos a ver qué se puede hacer. ¿En qué lío te metiste? ¿Tiene que ver con esa historia de la compra y venta de departamentos?

—El principio. Es lo más difícil. No voy a poder. Es Natalia. Hace unos meses me vino a ver al consultorio.

—¿Está enferma? —Con una mano que parecía actuar por cuenta propia, Esmé había hecho una bola con la servilleta y la apretaba desesperadamente mientras hablaba con voz tranquila.

—¡No, no, no! Está… está embarazada.

La mano de Esmé se relajó. En la mirada de alivio que cruzó con Guido hubo destellos del antiguo amor. De algún modo, por momentos, seguían queriéndose a través de su hija. Un embarazo tan jovencita. Tan chiquita. Era grave, pero no era el fin del mundo. Lo que seguía era seguramente un aborto. Ella misma había tenido una historia así en su adolescencia, sus padres la habían ayudado. ¡Pobre Naty, pobrecita! Por suerte tenía una madre que podía comprender.

El tono de Marcos era por lo general el de una autoridad inapelable. Hablaba en forma fuerte y clara, y era muy didáctico en sus explicaciones, como si estuviera dirigiéndose siempre a un paciente, a un ateneo de colegas o a una clase de la universidad. Ahora sus palabras se atropellaban torpemente, se pisaban unas a otras, su discurso era confusión pura.

—Ella… ¡ustedes son gente sensata! ¡Ella no puede tener ese bebé! ¡Está loca!

—¿Está loca? —repitió Guido—. ¿Qué te pasa, Marcos? Te agradezco mucho que hayas hablado con nosotros, pero esto es algo que vamos a resolver en familia. —Esmé no dejó de registrar la palabra familia sin saber si le molestaba o le gustaba.

—Pobrecita, debe necesitar ayuda, todavía no se animó a hablar con nosotros —dijo Esmé.

—Bueno, yo estoy de acuerdo con Marcos, no tiene edad para... ¿Sabés quién es el padre, te lo dijo? —preguntó Guido.

—Es que de eso les quería hablar... yo. Lo que pasó es que... Ella... Natalia me está pidiendo plata...

El mozo trajo las bebidas y el primer plato. Guido y Esmé, sentados rígidamente en sus sillas, comenzaban a entender, preferían no entender. Nadie tuvo fuerzas para tocar un tenedor.

—No —dijo Esmé—. No. No puede ser.

Pero podía. Así se explicaba, por ejemplo, por qué los había citado en un lugar público y no en su consultorio. Para obligarlos a mantenerse controlados.

—No fui yo. No sé cómo explicarles. Les juro que... Fue una... No pude... no pude resistir. —Lo miró a Guido pidiéndole comprensión, complicidad, pero el padre de Natalia le devolvió una mirada helada, todavía incrédula. —Ella... No creas que fui el primero.

—¿Le vas a echar la culpa a ella? ¿Vos sos un hombre adulto, un padre, un médico, y le vas a echar la culpa a una chiquita de quince años?

—Ya tiene dieciséis.

—¡Los cumplió la semana pasada!

—¡Es estupro!

—No es estupro. Para la ley argentina estupro es con menores de trece.

—¡Estudiaste, hijo de puta!

—No me quedó mas remedio. Guido, Esmeralda, ¡necesito ayuda!

—Te quiero matar. Te voy a matar.

—¡Me está pidiendo plata!

—Me imagino. Pobrecita. Para pagarse el aborto —dijo Esmé—. Ahora entiendo mejor por qué esta vez le costaba tanto confiar en mí.

—Ustedes no entienden. Me está pidiendo mucha plata para no tener al bebé. Para no hablar con Lucrecia. ¡Me está extorsionando!

—Te lo merecés. Lo que te haya pedido es poco.

—¡Por favor, por favor, ayúdenme!¡Ya le di diez mil dólares! ¡Y ahora me pide cincuenta mil!

La mención de la cifra sacudió un poco a Guido y Esmeralda. Aun en ese momento en que un dólar todavía valía igual que un peso argentino, los números eran asombrosos. El almuerzo había terminado. Ninguno de los tres estaba en condiciones de comer. No hubo discusiones cuando Marcos pidió y pagó la cuenta.

Salieron los tres juntos. Apenas había pisado la calle cuando Guido, que iba adelante, se dio vuelta de pronto y golpeó a su ex amigo en la cara, con el puño cerrado, con violencia. Marcos no se defendió. Se tambaleó un poco y cayó al suelo sentado, frotándose el mentón, mirándolo casi agradecido.

—Ésa sos vos, es tu culpa —le dijo Guido a Esmé, en el taxi que los llevaba al centro—. ¡Sos vos, que te reís de todo! Le enseñaste a no tomar nada en serio. ¡A no tener valores!

—Mirá quién habla —se defendió Esmé.

—No empieces.

—No empiezo porque no hace falta. Ya sabés todo. Lo que te quiero decir es otra cosa. Si me echás la culpa a mí, ¡es que la estás acusando a ella! ¡La defendiste con Marcos y ahora sos vos el que está diciendo que una chica de quince años es la culpable y no la víctima!

—Tenemos que hablar con Natalia. Pero yo necesito enfriarme un poco. Pensar. Hablá vos, que sos mujer.

Esmé se preparó para una charla dura, difícil, perturbadora. De mujer a mujer. Ella le contaría sobre su propia experiencia, sobre lo que había sentido cuando su mamá la acompañó a abortar, allí por los sesenta, cómo le sostuvo la mano mientras le ponían la máscara de gas, cómo ella sentía una corriente de amor pero también de odio que circulaba entre esas manos unidas por la fuerza. Su hija le contaría todo, o por lo menos, lo que pudiera contarle, ella no trataría de sonsacarle nada. Iban a hablar a corazón abierto, iban a llorar las dos, iban a terminar abrazadas.

Natalia estaba con su amiga Rita y no era un buen momento para hablar con ella. Tenía las pupilas dilatadas, los párpados a media asta y esa sonrisita entre tonta y misteriosa que le provocaba la marihuana. Pero Esmé no podía esperar. Le pidió que se despidiera de Rita. Su cara y sus gestos eran lo bastante angustiosos como para que Natalia aceptara sin protestar.

—Hijita. ¿Estás embarazada?

—Ni ahí —dijo Natalia, sorprendida.

—Sabés que podés hablar conmigo.

—Claro, mamita. Pero no, lo lamento, para los nietitos falta. ¿De dónde sacaste…? ¡Ah, ya me imagino! ¿Te llamó Marcos?

—Nos encontramos para hablar con él. Papá también estaba.

Natalia se echó a reír. Se deshacía de risa.

—¡Qué mal debía estar ese mierda para pedirle ayuda a ustedes!

—Pero entonces, ¿no estás? Y por qué…

La chica se mordió el labio inferior y levantó los ojos al cielo, ese gesto típico de su generación que hacía alarde de la paciencia necesaria para soportar la estupidez o la ingenuidad de los padres.

—Mamá, no hay nada más fácil que engañar a un hombre. ¡Se creen los reyes del mundo! Le mostré el resultado de un test, ¡pero no era mío!

Todo lo que Esmé había preparado para decirle a Natalia se desvanecía en el aire. Estaba desconcertada.

—¿Y de dónde lo sacaste?

—Lo compré. Se consiguen.

—¿Es cierto que te dio diez mil dólares? ¿Y que le pediste otros cincuenta mil?

—Pero se lo merecía, mamá. ¿No te parece que se lo merecía?

Sí, a Esmé le parecía que sí, que Marcos se lo merecía. Y sin embargo.

—No te voy a decir lo que tenés que hacer, Naty. Si vos creés que tenés que hablar con la mujer de Marcos, incluso si querés que hablemos papá y yo… —Y Esmé aceptó por un instante sus malos sentimientos, que otra sufra lo que ella sufrió. —Pero creo… no sé, creo que no deberías seguir pidiéndole plata. Por vos misma. En fin, por tu dignidad. Y porque puede ser peligroso…

—¿Sabés qué? Yo también pensé eso. No le voy a pedir más, te prometo. Pero mami, ¿te parece que me puedo quedar con los diez mil dólares?

A Esmé le conmovió que su hija le preguntara, que le pidiera permiso. Y le pareció que no, que no se los podía quedar. Era lo menos que tenía que pagar ese hijo de puta, pero también era demasiada plata para

que la manejara una chica de esa edad. Natalia tenía
que entender la gravedad de lo que había hecho.

—Vas a tener que devolver esa plata, Naty —contestó, severamente.

Natalia puso una carita enfurruñada.

—Pero yo no quiero volver a ver a Marcos, ma.

—Claro que no. Le vas a dar el dinero a tu papá.

—¿Y si se lo queda?

—¿Cómo si se lo queda, Naty? ¿Qué estás diciendo?

—Yo prefiero dártelo a vos.

¿Qué sabía Natalia sobre su papá que Esmé ignora-
ba? ¿Guido era capaz de hacer algo así? Había planeado
sostener una larga conversación con su hija y ahora no
se le ocurría nada que decir.

Un tiempo después supieron que Marcos y Lucrecia
se habían separado. Ella se quedó con los chicos y no se
los dejaba ver. Marcos estaba haciendo un juicio para
tratar de recuperar la relación con sus hijos.

Diario 20

Cuando di con la idea de esta pequeña historia, la relación entre Natalia y un amigo de sus padres, supe que tenía entre manos algo interesante. Una conversación con L. me convenció de que debía contarlo como una escena dramática. No permito que nadie lea los primeros, groseros borradores de este libro, porque en esta etapa de la escritura no me sirve de nada la opinión de los lectores. Yo misma soy consciente de muchos defectos obvios y ya sé o creo saber cómo corregirlos, pero necesito seguir hacia adelante para tener todo el material en bruto antes de empezar a reescribir. De otro modo podría quedarme retrabajando infinitamente la primera página sin llegar jamás a la novela. Sin embargo, y como única excepción, le di a L. un primer borrador de este capítulo. Su opinión siempre valiosa fue que la situación se precipitaba demasiado, pero eso ya lo sabía y me convenció de que no debía mostrarle los borradores a nadie más.

Volviendo a la incomodidad que me produce el efecto «ristra de episodios», debo cuidar de que mi novela no pierda la única justificación de la buena literatura, la capacidad de sorprender (en el lenguaje, en la selección de los materiales, en la organización pero también en el desarrollo de la historia). ¿Estoy en peligro? A esta altura el lector ya puede prever hasta cierto punto lo que va a suceder y se prepara para saber qué nueva calamidad está a punto de provocar Natalia. Recuerdo, de pronto, un libro de mi infancia, *Las desventuras de Sofía*, escrito por la Condesa de Ségur, un libro aleccionador para niñas. Publicado en 1859, cien años después se seguía leyendo en la Argentina. La condesa fue hija de un diplomático ruso, se exilió con su familia en Francia y escribió en francés estas pequeñas historias en que Sofía, una niñita que tiene entre cuatro y cinco años, comete modestas travesuras que son reprimidas y castigadas por su madre de manera cruel y por momentos sádica. El interés que me despertaban las travesuras de Sofía era bastante dudoso, creo que seguía leyendo sólo para saber cómo la castigaría esta vez su madre. Debo admitir que el efecto episódico no atenuaba en nada el interés de los lectores.

El Desgraciado Accidente

—Es importante que Natalia siga diciendo la verdad —dijo el doctor Martegut.

Su estudio, su estilo, la zona elegante, el edificio de categoría, la combinación sillones Chesterfield y caoba, eran parte de una estrategia destinada a intimidar a ciertos clientes y provocar en otros la sensación de haber entrado a un ámbito de tradición, reserva, riqueza, linaje, en el que contaría con la concomitante protección que se desprende de esa poderosa combinación de factores. El doctor Martegut era un abogado de mucho prestigio, y había aceptado tomar la causa de Natalia casi como un favor a su padre. Sus ojos claros y su cabeza de prócer contribuían a la impresión de conjunto. No parecía un hombre al que se le pudiera discutir una afirmación. En realidad no era él en persona quien llevaría el caso, sino la doctora Mertens, mucho más joven, impecablemente rubia, con sus trajes de pantalones oscuros y sus camisas blancas. El doctor Martegut hacía breves apariciones, por lo general cuando era necesario hablar de plata.

A Esmé nunca se le hubiera ocurrido ir esa noche con un abogado. Cuando sonó el teléfono, se despertó con el corazón palpitando: la llamada de madrugada, ese clásico del terror. Sentía la carga de adrenalina circular por sus venas, expandirse por todos los recovecos de su cerebro como si se la estuvieran inyectando. En un instante estaba intensamente despierta y alerta. Trató de respirar hondo y concentrarse en lo que le estaban diciendo. A pesar de la sensación de claridad mental, le costaba mucho entender. Un oficial de policía, que percibía su estado de confusión y probablemente estaba acostumbrado a ese tipo de diálogos en la madrugada, le repetía una y otra vez que su hija estaba bien, que no le había pasado nada.

Lo primero que se le pasó por la cabeza fue que se trataba de un secuestro virtual. Sucedía con cierta frecuencia. Los autores eran, por lo general, presos. Los menos sofisticados buscaban a la gente por la guía. Una noche la habían llamado diciéndole que tenían secuestrada a su madre. El tipo sabía su nombre y apellido, la relación entre ellas, y tenía muchos otros detalles, pero la operatoria era tan típica, se había publicado tantas veces en los diarios (circulaban incluso cadenas de mails alertando a los incautos), que Esmé no le creyó, sobre todo cuando se negó a permitirle hablar con Alcira. Esmé cortó y llamó inmediatamente a casa de su madre, que se había ido a jugar al burako con unas amigas. La empleada estaba alteradísima, y le contó con mucha angustia la conversación con los supuestos secuestradores. Era obvio que toda la información se la habían sonsacado a ella, pero a Esmé le hubiera gustado escuchar la voz de su mamá, no sabía exactamente dónde estaba, su celular no contestaba (lo que sucedía con cierta frecuencia, por culpa de la sordera) y no pudo dormirse hasta que Alcira la llamó, después de medianoche, para decirle que ya estaba en su casa y burlarse de su miedo. «No te vas a librar tan fácil de tu mamá.» En la comisaría le explicaron que no valía la pena hacer la denuncia, que los autores estaban presos de todos modos. «Los muchachos se aburren», comentó un oficial de guardia.

Pero la Noche Terrible (en su cabeza Esmé ya la llamaba así) no tuvo dudas. Quizá porque la insistencia del policía en tranquilizarla atizaba su angustia: ese reiterado quédese tranquila que demoraba la explicación de la llamada se comportaba como los movimientos sísmicos que preparan la irrupción de la lava. Pero sobre todo porque casi inmediatamente le pasó el teléfono a Naty y pudo escuchar su voz, su vocecita tan locamente amada, temblorosa, diciendo tengo un problema, mamita. Hacía tanto que no le decía mamita.

—Lo más importante —insistió la doctora Mertens— es que su hija mantenga, a lo largo de todo el proceso, lo mismo que dijo cuando se quebró en la declaratoria. Nosotros nos vamos a encargar de probarlo.

Con la autorización de sus padres, Natalia había obtenido el registro de conductor a los diecisiete años. Manejaba muy bien. Esmé le cedía el volante con toda tranquilidad, con toda felicidad. Y no sólo en el loco, superpoblado, infernal tráfico de la ciudad. Habían viajado un par de veces a la costa y Natalia se había lucido también en la ruta.

La Noche Terrible su hija había salido con el auto, un Volkswagen Gol de color azul que Esmé había comprado con un par de años de uso a muy buen precio y que ahora estaba incrustado en la baranda de cemento de la Costanera, parcialmente destrozada por el choque, rodeado de trozos de material que parecían desprendidos de una demolición, incrustado, el Volkswagen, de una manera casi cómica, como en un dibujito animado. Cinco cuadras más atrás había un cuerpo tendido en el suelo, un cuerpo tapado que Esmé nunca vio y que sin embargo volvería una y otra vez en sus pesadillas, a veces con la cara de su padre.

El auto (era el auto, el auto, se obligaba a pensar, no su hija, ni su amiga Rita, era el maldito auto) había subido el cordón, había atropellado a ese hombre que, convertido en un cuerpo, descansaba ahora sobre el asfalto a la espera de la Policía Científica, había seguido de largo aumentando la velocidad hasta más allá de cualquier límite y había terminado por estrellarse contra el parapeto de hormigón.

La noche era bellísima, perfecta. Las tres de una madrugada cálida de septiembre. Corría una brisa suave, con olor a primavera, que acariciaba la cara con sus dedos frescos. Más allá del parapeto, el río negro baile teaba y se reía, desbocándose en olitas juguetonas sobre la orilla.

Nunca su hija le había parecido tan hermosa. Natalia tiritaba y le castañeteaban los dientes pero estaba entera, abrazándola a Rita que se deshacía en llanto. Los ojos de Natalia, muy pintados, brillaban en la oscuridad. El maquillaje cargado acentuaba la expresión infantil de su carita.

Había muchos policías y los autos que pasaban aminoraban la marcha tratando de ver lo que había pasado. En un patrullero se llevaron a las chicas a la comisaría, Esmé tomó un taxi.

Guido llegó directamente a la comisaría con un abogado, un muchacho muy joven que, supo después Esmé, cumplía una función de comodín y estaba siempre listo para cubrir emergencias en el estudio del doctor Martegut. Él fue quien asistió a Natalia y la

acompañó a declarar ante el fiscal. Claudia, la madre
de Rita, se abrazó a Esmé con tanta fuerza que por un
momento le cortó la respiración; sería el último abrazo
que se darían en mucho tiempo, quizás en el resto de
su vida. El padre de Rita no apareció esa noche.

Cuando terminó la declaración en la fiscalía, el abogadito habló con Guido y con Esmé. La situación era
confusa, tal vez complicada. Tratándose del auto de su
madre, en una primera aproximación la justicia pre-
sumía que la conductora era Natalia. A pesar de que el
abogado y su padre le habían aconsejado que no decla-
rara (como imputada, no tenía ninguna obligación de
hacerlo), Natalia no se podía contener. La chica parecía
estar en estado de shock, pero en lugar de paralizar-
la, el shock la había dejado en un estado de excitación
psicomotriz muy común en esa circunstancia. En su
declaración empezó por acusarse de todo, casi con
violencia, intentando liberar a su amiga de toda culpa,
incluso la de partícipe necesario. «Yo manejaba, Rita
venía dormida», aseguró. Parecía ansiosa por cargar
con toda la responsabilidad del hecho. Sin embargo,
ante una pregunta del fiscal que inquiría sobre ciertos
detalles aportados por la policía, empezó a cometer
errores gramaticales, pasando de la primera a la tercera
persona. «Entonces venía por la costanera y pisó el ace-
lerador», dijo de pronto. Y en otro momento, «Cuando
se fue para atrás, sentí que volvía a pasarle por encima».
(¿Ella, yo, el auto? Ambigüedades del idioma.)

El fiscal era un hombre inteligente y tenía derecho
a sospechar algo más. La interrogó con precisión, con
sutileza, con severidad y finalmente la chica se quebró, les contó el abogadito: se puso a llorar y confesó
la verdad. Que era Rita la que manejaba el Gol. Que,

como tantas otras veces, le había permitido ponerse al volante del auto de sus padres, pero por favor, que su mamá no se enterara. Que Rita, aunque no tenía registro, manejaba muy bien. Que a ella, a Natalia, le resultó muy difícil controlar la situación, que estaba asustada, muy asustada cuando Rita emprendió esa carrera loca por la avenida Costanera.

El dueño de un puesto de choripán y bondiola había visto el accidente, el peatón tratando de cruzar por las rayas blancas, con el semáforo en verde, había visto al Gol que, por su alta velocidad, parecía había salido de la nada, había visto el impacto, había visto cómo el auto retrocedía sin ninguna necesidad, volviendo a pasar sobre el cuerpo y seguía su loco, salvaje camino hasta chocar contra el parapeto. Pero no sabía con seguridad cuál de las dos iba al volante. Eran dos chicas jóvenes, de pelo largo, suave y oscuro, difíciles de distinguir desde cierta distancia. Cuando llegó la policía, las dos se habían bajado y estaban juntas a un costado del auto.

Después supieron que la declaración de Rita ante el fiscal había sido mucho más confusa que la de Natalia. Ella insistía en que iba en el asiento del acompañante, que estaba dormida, que no tenía muy claro cómo habían atropellado al hombre y sólo se había despertado del todo cuando se incrustaron en el parapeto de la Costanera.

En esa primera reunión con el doctor Martegut y la doctora Mertens, Natalia no estaba presente. Se habló de responsabilidades y de dinero, se habló de la muy probable demanda civil, del seguro contra terceros, de la figura de abandono de persona, que no era aplicable en este caso, a pesar de la insistencia de los medios, que habían encontrado un tema jugoso para hincar el diente.

—Como usted bien sabe, Guido, por ser casi colega, lo que le pasó a su hija, me refiero al intento de escapar del lugar...

—A la amiga de mi hija —recordó Guido.

—A la amiga de su hija, es bastante común, y se explica por el estado de shock que produce un accidente así, sólo se considera que hay abandono de persona si el conductor huye dejando a la víctima en un lugar donde nadie puede prestarle ayuda.

—Hay situaciones —recordó la doctora Mertens— en que el conductor y su acompañante se han bajado del auto en la ruta para correr a la víctima a la banquina, o meterlo en una zanja. No es el caso.

—¿Prendo el aire? —preguntó el doctor Martegut—. El calor llegó temprano este año.

Se enjugaba la transpiración tocándose delicadamente la piel con un pañuelo blanquísimo, quizá de hilo, el último de los pañuelos de hilo, pensó Esmé, que se abanicaba ferozmente.

La doctora Mertens se concentraba en el caso, el doctor Martegut dejaba su mente divagar por la multiplicidad de experiencias que habían marcado su vida profesional, tenía tantas situaciones, tantas anécdotas que contar, parecía perderse por momentos en un monólogo de viejo.

Esa aparente divagación casi intolerable, que los padres de Natalia soportaban apenas, era parte de una puesta en escena, automática, tal vez ni siquiera deliberada, que los dos abogados llevaban adelante con impecable coordinación. Representando al viejo dúo del bueno y el malo, el doctor Martegut les demostraba lo poco importante del caso, lo sencillo que sería demostrar la inocencia de Natalia, la pequeña penalidad que estaba prevista aun para la conductora del vehículo, de uno a cuatro años, no la encerrarían en un instituto de menores, ni mucho menos la llevarían a la cárcel al cumplir los dieciocho, siempre sería una pena condicional, la intencionalidad hacía toda la diferencia, se trataba de un homicidio culposo y no doloso. Y aunque Esmé se estremecía ante la palabra homicidio, y no parecía atenuarlo la palabra culposo, aunque la idea del homicidio culposo chocara dolorosamente contra las paredes de su cráneo, lo más importante era que no lo había cometido su hija, que su hija no era ni siquiera partícipe necesaria, que su hija era tan inocente como la límpida mirada de sus ojos color miel.

Interrumpiéndolo a veces y completando otras veces sus comentarios, la doctora Mertens adjuntaba la otra parte, la otra visión posible del caso. El doctor Martegut se dedicaba a demostrar lo bien que habían hecho en elegirlos, lo fácil que sería para ellos, con su poder, sus conocimientos, su amistad personal con el juez, liberar a Naty de culpa y cargo, obtener su ¿absolución? ¿sobreseimiento? Esmé incorporaba vocabulario, miraba a Guido tratando de deducir por su expresión qué era lo mejor, hacia dónde tenían que dirigir la proa de ese barco al garete en el que se había convertido lo que alguna vez fue una familia. Y mientras el doctor Martegut comentaba los hechos casi con desdén, como quien desestima, barriéndolas con la mano, la importancia de las miguitas en el mantel, la doctora Mertens se dedicaba a justificar la cifra de los honorarios, les recordaba que el primer supuesto era pensar que era la hija de la dueña del auto quien lo manejaba, que no tenían todavía el informe de toxicología, que el hecho de que estuvieran borrachas o drogadas podía ser un atenuante pero también un agravante, un arma de doble filo en todo caso, según cómo manejara la cuestión el fiscal, todo podía complicarse, por ejemplo, si se comprobaba que solían manejar borrachas, les recordaba que el auto se había subido al cordón, que probablemente (había testigos pero faltaban las pericias) habían vuelto a pasar, por razones hasta el momento inexplicables, por encima del cuerpo de la víctima, que habían escapado, que a los diecisiete años eran ya responsables ante la ley, aunque su situación fuera mejor que al cumplir los dieciocho porque todavía estaban protegidas por la Convención sobre los Derechos del Niño, que no sólo las marcas sobre el pavimento sino, sobre todo, el choque contra el parapeto de la costanera, decía la doctora Mertens, le permitiría a los peritos de gendarmería, a través de los estudios de choque, la escopometría (y aquí intervenía el doctor Martegut para perderse en una gozosa descripción de los nuevos, fascinantes aparatos con los que contaba la institución), establecer la velocidad del auto, la velocidad precisa, demostrada por el grado de deformación del metal y que había una posibilidad, lejana pero no imposible, de ningún modo imposible, de que se considerara el dolo eventual en función de la suma de factores: la alta velocidad, la trepada al cordón, el pasar dos veces por arriba de la víctima, el hecho de que estuvieran manejando intoxicadas y quizá no por primera vez...

Si el fiscal insistía en el dolo eventual y conseguía probarlo, la pena podía ser mucho mayor, incluir cumplimiento efectivo, había casos en que un menor cometía un delito antes de cumplir los dieciocho pero la sentencia que llegaba después de su cumpleaños lo consideraba mayor de edad… La doctora Mertens les recordaba que el juez de sentencia podía llegar a ser particularmente severo, los había, que la difusión mediática que había tenido el caso, aunque el juez quisiera evitarlo, no dejaba de tener peso en sus decisiones, había lugar a que decidiera dar un fallo ejemplar, que sirviera para controlar a otros jóvenes, era posible, a pesar de todo, que fuera difícil, sobre todo, muy difícil, probar que había sido realmente Rita y no Natalia la que manejaba en el momento del hecho, todo lo cual explicaba, justificaba, daba sentido a las cifras agobiantes que el doctor Martegut les estaba informando ya, dando por terminada la conversación.

El hombre muerto. Irremediablemente muerto. Esmé lo recordaba como si lo hubiera visto. Ya sabía su nombre y su edad. Tenía cincuenta y dos años. Dos hijos varones. Había ido a pescar a la Costanera y volvía a su casa. La caña y la caja de pesca habían salido volando con el impacto y aparecieron tiradas por ahí.

Cuando salieron del estudio de abogados, los padres de Natalia fueron a tomar un café para hablar de lo que había pasado, para tratar de ponerse de acuerdo en algunos lineamientos esenciales, para odiarse como siempre y apoyarse el uno en el otro como sucedía a veces. Pero antes de que pudieran empezar a hablar acerca de Natalia, del doctor Martegut, de la doctora Mertens, y sobre todo, acerca de cómo y qué podían hacer para acercarse a la cifra de honorarios, Guido miró a Esmé con culpa, con pena, con un poco de vergüenza y le dijo que se iba del país.

—¿Ahora? ¿Te vas ahora?

—En unos días. El mes que viene.

—¡Pero no podés!

—Lo que no puedo es quedarme. El país se está cayendo a pedazos. Ya somos gente grande. Es mi última oportunidad.

A Esmé se le llenaron los ojos de lágrimas, pero la bronca pudo más que el miedo o la angustia.

—¿La última oportunidad de portarte como un hijo de puta? No creas, todavía vas a tener muchas. Todos los días mientras vivas.

Guido la tomó de los hombros, la sacudió, la obligó a mirarlo.

—¿Pero no ves lo que está pasando?

—Sacame las manos de encima o grito. ¿Justo ahora te vas? ¿Cuando tu hija...?

—Mi hija no hizo nada. Fue la amiga ésa que a mí nunca me gustó. Naty está injustamente acusada y todo se va a resolver. Las dejo en buenas manos, eso me alivia un poco.

—¿Y de dónde vamos a sacar para pagar las buenas manos? ¿Te creés que a mí me va bien?

—No sé, yo eso no te pregunto.

—Me bajaron un cuarenta por ciento del sueldo. Se terminó el reparto de la torta con los bonos de fin de año. Reparto de miseria, hay. Cuando las cosas están así, que la gente no tiene plata para comprar, lo primero que achican las empresas es la publicidad. Yo también estoy grande, Guido. Los creativos jóvenes vienen arrasando. Y con hambre. Ahora vienen recibidos, publicidad es una carrera universitaria... ¿Te vas adónde?

Esmé aflojaba, aceptaba, odiaba. ¿Qué podía hacer para impedirlo? Estaba tan cansada. El peso de la responsabilidad la hacía inclinarse sobre la mesa.

—Estados Unidos. A Evanston. Un suburbio de Chicago.

—¿Y los papeles? ¿Vas con visa de turista? ¿Pensás quedarte ilegal?

Guido miró hacia la puerta como si estuviera evaluando sus posibilidades de escapar. Después se concentró en revolver el café.

—¿Nunca te habló Natalia de mi amiga Shelly?

—La yanqui. Una de las.

—Me voy con visa de *fiancé*. Quiere decir de novio. Nos casamos allá. Así le dijo su abogado que era lo mejor, mucho más fácil conseguir la *green card* que si nos casamos acá. Voy a tener la residencia enseguida, en unos meses.

—El braguetazo…

—En cierto modo. Si lo querés ver así.

Esmé volvió a su casa caminando. Necesitaba cansarse un poco, sacarse de encima ese hormigueo que le recorría los músculos agarrotados por la tensión. Había mucha gente durmiendo en la calle, una absurda cantidad de negocios con las persianas bajas y carteles de venta o alquiler. De vez en cuando un carrito tirado por un caballo complicaba el tránsito de la ciudad. Desde que era chica que no veía un carro con caballos en la capital. Pero Esmé no estaba atenta a los signos de la crisis. Pensaba en el muerto, en el hombre muerto, en su cadáver con la cara tapada sobre el asfalto de la Costanera, en su mujer, en sus hijos, pensaba en el momento del impacto, en esa muerte de la que se sentía de algún modo culpable, pensaba en su Natalia, en su Natita, en la angustia que estaría viviendo: aunque ella no manejara el auto, había estado allí, había sentido el golpe, el impacto contra el cuerpo, había sentido cómo las ruedas le pasaban por encima y después también en reversa (se estremeció de horror por un momento) y ahora tenía que vivir con eso, con ese recuerdo clavado en ella, en su carne, para el resto de su vida.

Entró al departamento y fue directamente al dormitorio de su hija. No la despertaría si estaba durmiendo, pero necesitaba verla.

Natalia se estaba despertando. Tenía las mejillas sonrosadas, una más que la otra, por el contacto con la almohada. Los bucles largos y oscuros se enredaban un poco alrededor de su carita. Cuando recién se despertaba, parecía una chiquita de diez años, le llevaba un par de horas asumir el desdeñoso empaque de la adolescencia. Saltó de la cama y corrió a abrazarse con su mamá.

Esmé era poco observadora, pero no pudo dejar de ver que la repisa sobre la cama, donde Natalia exhibía sus muñecos, el último resto de su infancia, había sido vaciada y ahora había allí solamente una piedra grande y clara de forma lisa, rota y rara. Natalia siguió su mirada.

—Es un pedazo de la baranda de la Costanera, ma. Me lo traje de recuerdo.

Diario 21

Natalia acaba de ser rebautizada por cuarta vez. Al principio se llamaba Paula. Mis hijas me criticaban la elección, les parecía un nombre poco creíble para alguien de su edad. De pronto recordé que Paula era el nombre de la hija de Isabel Allende y también el de la novela que le dedicó después de su muerte. Imposible seguir llamándola así. Por breve tiempo pasó a ser Candela, pero algo indefinible me molestaba en ese nombre excesivo. Esmé nunca le hubiera puesto Candela a su hija. Por varios meses se convirtió en Luciana, pero lo deseché por ser un nombre de moda. El nombre de un personaje debe ser lo bastante especial como para resultar recordable y no tanto como para sonar raro o ridículo, a menos que esa rareza cumpla una función en la historia.

Natalia habla poco, se la conoce poco. Pero después de todo, sólo tenemos de ella la visión de la madre. Te conozco como si te hubiera parido, dice la frase popular, y se equivoca. Nadie conoce menos a una persona que su propia madre. Nadie sabe menos. Dicen los lingüistas que la prevaricación, es decir, la posibilidad de mentir, es una característica única, definitoria, del lenguaje humano. Muchos animales (los gorilas, las abejas) se comunican de diversos modos, pero no se ha logrado comprobar que sean capaces de mentir. Los seres humanos le mentimos a todos aquellos con los que hablamos además de mentirnos, con nuestra voz interior, a nosotros mismos. Pero a nadie se le miente tanto como a la propia madre, afirmándose con alegría en lo que ella cree saber sobre sus hijos. Es la primera mujer a la que le miente un hombre. Y también una mujer.

Aquí, otra duda. Escribir no es para obsesivos, es como luchar contra la hidra de mil cabezas, por cada duda que se resuelve surgen otras dos, hay que escribir como Heracles, con una antorcha en la mano, cauterizar los cuellos cortados, seguir adelante de algún modo. La duda: ¿qué lenguaje utilizar? ¿Debería Naty hablar en jerga adolescente? ¿En la de su época, que ya no es exactamente la actual? La jerga adolescente es tan efímera... Pero por otra parte, hacerla hablar un argentino neutro ¿no le quita verosimilitud al relato? Me recuerda a las dudas sobre el lenguaje adecuado para relatar una escena erótica que John Cleland, el autor de *Fanny Hill,* expresa con tanta precisión a través de su protagonista, la autora de esas cartas que conforman su novela. ¿Cómo denominar a los órganos en conflicto, cómo describir la actuación de los personajes? ¿Optar por el lenguaje científico, el lenguaje poético, el lenguaje de la calle?

Borges, desde un aproximación teórica, se expide siempre en contra de la jerga de época. En la práctica confirman lo acertado de su opinión sus propias *Crónicas de Bustos Domecq*, escritas con Bioy Casares y tan viejas ya, que por momentos resultan incomprensibles, porque se burlan de formas expresivas de las que casi no queda ni el recuerdo. El mismo «El Aleph» sufre bastante la retórica de Carlos Argentino Daneri, desopilante sin duda en su momento, que hoy no remite a ningún modelo.

Sobre mis fuentes. Para escribir este capítulo hablé con dos abogados y un juez.

G. es abogado, no es penalista y es también escritor. Entendió perfectamente mi problema y colaboró en la construcción de la historia. Estaba tan ansioso como yo por establecer la escena del accidente y decidir la conducta de mis personajes. Me ayudó mucho su entusiasmo. Conversando con él me di cuenta de que un homicidio culposo y no doloso, es decir, no intencional, tenía una pena demasiado leve como para justificar el hecho de que Natalia le echara la culpa a Rita. Yo necesitaba que todo fuera más grave, que Naty se estuviera librando de una pena más o menos seria y consiguiera descargarla sobre su amiga (su ex amiga).

El juez con el que hablé había sido también abogado penalista. No lo conocía, llegué a él a través de una amiga común, y me recibió con enorme gentileza y absoluto desinterés en mi problema. En la conversación se hizo evidente que el hecho que involucraba a mis personajes le parecía muy menor, algo que podía resolver cualquiera, una cuestión casi indigna de su jerarquía. Algo así como usar un reactor nuclear para hacer un par de huevos fritos. Se perdía (o se encontraba) en casos mucho más complejos, más graves, más interesantes y me costaba mucho hacerlo volver sobre mi tema. Sin embargo me resultó muy útil su desdén para comprender que debía incluir agravantes. Él fue quien me habló del dolo eventual, citó el caso Cabello (un muchacho que mató a dos personas, tal vez corriendo una picada), elogió la precisión de los instrumentos de escopometría de la Gendarmería.

Y finalmente hablé con Z., un penalista joven, muy inteligente y muy interesante, metido en la práctica cotidiana, que conocía muy bien la relación con la policía y me explicó qué dicen las leyes y cómo funcionan en la realidad, en qué consiste el abandono de persona, cuáles eran los hechos que podrían agravar la situación de mis personajes. Fue él quien me explicó que prefería usar la palabra «asistidos» y no «clientes».

El proceso judicial

El proceso judicial fue lento, largo, penoso. Mucho más parecido a las amenazas de la doctora Mertens que al gesto de barrer las migas del mantel del doctor Martegut. Y después de todo, ¿acaso barrer las migas del mantel es tan sencillo? ¿No es algo casi imposible, una tarea para la que se han inventado diversos instrumentos, y que sólo se logra a fondo cuando se quita el mantel de la mesa y se lo sacude?

Las pericias de toxicología demostraron que esa noche las dos chicas habían tomado alcohol y éxtasis, que habían fumado marihuana, que ninguna de las dos estaba en condiciones de conducir. Había huellas digitales de las dos en el volante. Esmé hipotecó el departamento para pagarle a Natalia la mejor de las defensas posibles y la tuvo. Varios jóvenes testigos aseguraron que Rita manejaba con mucha frecuencia el auto de Natalia, o mejor dicho, de la mamá de Natalia. Incluso fue posible conseguir la declaración de dos testigos muy importantes para el caso, el hombre que cuidaba los autos que quedaban fuera de la playa de estacionamiento del boliche, y un vecino que estaba en ese momento en la puerta de su casa. Los dos aseguraron haber visto cómo Rita se ponía al volante del Gol a la salida de la disco. Esmé nunca le preguntó a sus abogados cómo habían obtenido esos testimonios tan útiles, tan necesarios. El dueño del puesto de choripán y bondiola cambió su declaración: ahora que tenía la oportunidad de mirarlas bien, se daba cuenta de que sí podía reconocer a la chica que manejaba el auto. Era Rita, sin ninguna duda.

Pero también fue importante la convicción y la energía con la que Naty luchó por defender a su amiga en las distintas instancias del proceso. Después de haberse quebrado en la indagatoria del fiscal, ya no podía volver a declararse culpable. Había que ver, entonces, con qué dolor reconocía, a regañadientes, la culpa de Rita, y cómo trataba de atenuarla dando explicaciones siempre diferentes. Por su parte, con su relato confuso, Rita causaba muy mala impresión en el fiscal y en el juez de instrucción. Cuando hablaba con más claridad, era todavía peor. Por momentos se hacía evidente que estaba repitiendo de memoria (Rita nunca fue muy buena para estudiar) lo que su abogado había tratado de hacerle recordar. Cada vez que hablaba volvía a repetir todo con las mismas palabras. En un careo, la personalidad de Natalia, su claridad, su simpatía personal, su evidente timidez, su esfuerzo por hacer el menor daño posible a su amiga, a pesar de considerarla culpable, su intento, por un momento, de volver a echarse la culpa, hicieron que su testimonio fuera mucho más creíble que las groserías brutales con las que Rita, descontrolada, agredió a su ex amiga. Hasta la doctora Mertens (y eso sí que fue un logro excepcional) terminó por convencerse de que estaba defendiendo a una inocente. Y probar esa inocencia era muy importante, porque la situación se complicaba, ya no era solamente un homicidio culposo, que hubiera comportado prisión en suspenso, el fiscal insistía en la figura del dolo eventual, que estaba surgiendo con fuerza en relación con un caso famoso.

El 30 de agosto de 1999, Sebastián Cabello, que tenía entonces diecinueve años, y circulaba con su auto Honda Civic por la avenida Cantilo, chocó por detrás al Renault 6 en que viajaban Celia González Carman, de treinta y ocho años, veterinaria, y su hija Vanina, de tres años. Como consecuencia del violentísimo impacto, el vehículo en que viajaban las víctimas fue desplazado 92 metros en línea recta y se incendió de inmediato. Madre e hija murieron carbonizadas. Las pericias demostraron que Cabello, que iba acompañado por un amigo, circulaba a una velocidad de 137,65 kilómetros por hora, aparentemente corriendo una picada contra un BMW negro.

El accidente tuvo amplia resonancia mediática y a Cabello se le dictó prisión preventiva. El marido y padre de las víctimas, presa de una crisis nerviosa, golpeó a Cabello cuando éste era trasladado esposado hacia el juzgado. Aconsejado por sus letrados, el joven desistió de impulsar una causa contra su agresor, declarando, a través de sus voceros, que entendía la reacción y el dolor del padre.

En el año 2003 el Tribunal Oral en lo Criminal, a través de un fallo poco usual, condenó a Cabello a la pena de doce años de prisión efectiva por considerarlo autor penalmente responsable del delito de doble homicidio simple cometido con dolo eventual.

Dos años después la Cámara de Casación Penal, sala III, considerando que la supuesta picada no había sido probada, modificaría la calificación del delito reduciendo la pena a tres años de prisión en suspenso. Pero en el momento en que se llevaba adelante la causa que involucraba a Rita y a Natalia, el resultado de la apelación era todavía imprevisible y Cabello estaba preso.

Desde Evanston, Illinois, Guido llamaba por teléfono a su hija, se comunicaban por MSN y después por Skype. A Esmé siempre la había irritado la habilidad de Guido para relacionarse con las novedades tecnológicas. Le parecía impropio de su generación que fuera siempre el primero en incorporarlas. La famosa *green card* estaba en camino pero no era instantánea. Por el momento, le resultaba imposible enviar dinero. No tenía trabajo pero a Shelly le iba muy bien y, como siempre, él tenía planes, muchos y extraordinarios planes. Cuando estuviera en condiciones de realizar alguno, uno solo y sobre todo cuando terminara esa estupidez, esa causa ridícula, sin sentido, que no le permitía viajar a su hija, se llevaría a Naty con él, prometía, amenazaba. Le pagaría un buen college en Estados Unidos, tierra de promisión. A veces Guido hablaba también con su ex mujer, para tener su opinión sobre las instancias del proceso. Por más que Esmé se lo prohibía a sí misma, por más que trataba de evitarlo, todas las conversaciones con su ex marido terminaban por su parte con un reclamo de dinero, una discusión inútil, mil veces repetida. Lo habitual era que Guido cortara bruscamente en la mitad de una frase.

Como nunca antes, Esmé necesitaba estar cerca de su madre. Después de los setenta y pico, Alcira había desarrollado, entre el cuello y el mentón, una especie de buche de pavo, arrugado y tembloroso. Esmé nunca logró reconciliarse con esa parte nueva del cuerpo de su madre, una mujer siempre tan perfecta, tan fuerte, tan derecha. Era una desprolijidad inconcebible, que la angustiaba casi tanto como las manchas de vejez en las manos de Alcira.

Ahora estaban en la cocina de la casa de Alcira, y no era fácil llevarla allí, ella prefería siempre el comedor, el mantel bordado, la vajilla buena, las masas de confitería, los encuentros programados. Por razones generacionales, Esmé se sentía más cómoda en la cocina, el lugar más cálido de la casa. Tomaban mate, untaban tostadas de pan lactal con queso blanco descremado, Alcira levantaba rigurosamente cada miguita que caía fuera del plato.

—¿Cuántas veces te pedí que comas arriba del plato? —le preguntó a Esmé, con una leve sonrisa.

—¿Cuántas veces en la vida? ¿Un millón doscientas cuarenta y nueve mil?

—Y mirá lo que conseguí…

—Mamá. ¿Vos creés de verdad que el auto lo manejaba Rita?

—Hija, estás muy mal de la cabeza. ¿Qué te importa quién manejaba el auto? Hay una sola pregunta que te tenés que hacer. Quién es tu hija. Punto. ¿Rita es tu hija?

—¿Qué hubiera dicho Regina, mamá? Vos sabés cómo yo la admiraba. Ella para mí era… Nunca hablamos de Regina. Era la que sabía si algo estaba bien o estaba mal. Cuando tenía dudas, yo la miraba a ella, le miraba la cara: ella sabía.

—No hablamos porque no hay nada que hablar.

—Ella era… Hacía lo que pensaba que había que hacer. Hasta el fondo. Vos también la admirabas, mamá. Vos y papá. Y no la podés nombrar porque la seguís queriendo. Regina era tu preferida, no me digas que no.

—No entendés nada. Regina era una imbécil que se dejó matar, la odio.

La cara de Alcira empezó a contraerse y arrugarse como si el buche de pavo se hubiera contagiado de algún modo a toda su piel, a todos sus rasgos, transformándole las facciones en algo blando, húmedo y repugnante, hecho de llanto contenido.

—Era tan joven, Esmé... No te imagines que era mejor. Era solamente joven, exigente, fundamentalista. Después hubiera sido como vos, como yo, como todos. La mataron tan joven... No tuvo tiempo de agacharse, de renunciar, de mentir, de engañarse, de crecer. No tuvo tiempo de nada, no tuvo después, nunca se hizo grande. ¡Y yo la obligué a usar ortodoncia tantos años!

Rita fue declarada culpable de homicidio. El tribunal aceptó la figura de dolo eventual y la chica, que para entonces ya tenía más de dieciocho años, cumplió casi un año de condena en la cárcel, mientras sus abogados apelaban la sentencia. Natalia fue absuelta de culpa y cargo.

Diario 22

Retomo la escritura de la novela después de un mes de abandono, de descanso. Es asombrosa la infinita lentitud con la que voy construyendo la historia. La culpa la tienen un par de libros de cuentos que me dieron vuelta la cabeza. *De repente llaman a la puerta*, de Etgar Keret, cuentista israelí, un derroche de locura controlada, de ideas geniales, delirantes que sin embargo no sacan a sus personajes de su vida cotidiana, de sus problemas tan comunes, tan reconocibles, tan compartidos. Y *Animales domésticos*, de la chilena Alejandra Costamagna, que demuestra cómo el cuento es un género que sí puede renovarse, contra lo que muchos afirman. La prosa de Costamagna elide, saltea, reúne, de una forma intensamente original, exhibe y demuestra la nueva sensibilidad de este mundo, un poco misterioso para mi generación, un mundo que me deja afuera, que ya no entiendo bien.

Es notable cómo la sensación de verosimilitud crece cuando hago el recuento del caso Cabello. La precisión de los datos lo vuelve todo mucho más creíble. Los involucrados aparecen con nombre, apellido, edad y ocupación. Se menciona la fecha exacta en que sucedieron los hechos, la velocidad a la que iba el auto, los metros de desplazamiento. A la hora de hacer creer, los números superan ampliamente a las letras. Me resultaría muy fácil agregar cifras. Pero yo no quiero hacer creer nada, ¿verdad? Si estuviera apostando todo a la verosimilitud, este diario no tendría sentido.

Natalia crece

Natalia terminó el secundario a duras penas. Obtener el título de bachiller le llevó más o menos lo mismo que duró la instancia judicial. A fin de quinto año, cuando participó con sus compañeros en la fiesta de egresados, le quedaban en realidad seis materias para rendir en febrero y parecía lógico que, bajo tanta presión, le costara concentrarse. A lo largo de los dos años siguientes, fue aprobando poco a poco los exámenes.

Después del Desgraciado Accidente, la directora del colegio se mostró más comprensiva de lo esperable, faltaba poco para terminar el año y pronto se libraría para siempre de las dos indeseables de la manera más pacífica, menos perturbadora para el resto de los padres. En una reunión con Esmé nunca dejó de mencionar el suceso con esas palabras que lo definían y atenuaban: el Desgraciado Accidente. Entre sus compañeros, el Desgraciado Accidente dotaba a Natalia y a Rita de un curioso prestigio, se las trataba con respeto.

El boliche en el que se realizó la fiesta de egresados exigía que participaran como mínimo cuatro adultos. Esmé se negó a ser uno de ellos y se alegró de haberse negado. Como los padres se habían puesto de acuerdo con la disco en controlar el consumo de alcohol (sólo cerveza para los mayores de dieciocho, nada de bebida blanca, no más de dos tragos cada uno). los chicos se emborracharon cuidadosamente en la previa y llegaron a la fiesta en un estado lamentable. Natalia, que ahora medía con cuidado su ingesta de alcohol, estaba apenas alegre, pero Rita, borracha de una manera repugnante y penosa, en mitad de la fiesta se le tiró encima, amenazando con matarla. Puta buchona asesina de mierda, le dijo, te voy a meter tus mentiras en el ano, te voy a romper las tetas a piñas, te voy a gastar la concha con virulana, declararon después los testigos del hecho. Natalia respondió arrojándole a la cara la cerveza que estaba bebiendo, con vaso incluido. Los compañeros, cuyas opiniones sobre la cuestión estaban todavía divididas (aunque de a poco la mayoría se iba comprometiendo a favor de Natalia) no necesitaban más para soltar las ansias de pelear, pegar y romper que suele provocar el alcohol en los muy jóvenes. La fiesta terminó en una pelea colectiva digna de un saloon del Lejano Oeste, que con mucho esfuerzo y después de considerables destrozos en el local, consiguieron dominar los custodios de la disco. Los padres ayudaron como podían, tratando de rescatar o retener a sus hijos.

Mientras durara el proceso, era muy importante que la conducta de Natalia fuera impecable, era sobre todo imprescindible que no realizara ninguna acción en la que tuviera que intervenir la policía. Esmé se preguntaba si debía dejarla o no participar en el viaje de egresados a Bariloche, una ceremonia de iniciación frenética y triste al mismo tiempo, organizada por empresas dedicadas, en primer lugar, a extraer la mayor cantidad posible de dinero de los padres. Participó en una primera reunión con el representante de una de

las empresas que consultaron, un chico muy joven que
sería también el coordinador del grupo. Se asombró,
sobre todo, de la habilidad que tenía el muchacho, un
experto vendedor, para hacerles creer a padres e hijos
que estaban programando un viaje único y diferente,
pensado especialmente para ese grupo tan especial,
mientras los hacía entrar en el programa único, obvio,
igual para todos, que ofrecían en realidad.

Drogas, alcohol y sexo descontrolados eran los
temores de los padres y el deseo de los hijos. A las
empresas les daba exactamente igual mientras no tuvieran problemas con la policía. Una amiga, cuya hija
había hecho ya el famoso viaje a Bariloche, le contó a
Esmé que unos kilómetros antes de que el micro pasara por un control policial, el coordinador les había
exigido a los chicos que le entregaran toda la droga y el
alcohol que llevaban, con la promesa de devolvérselos
después en el hotel.

Cuando conversó el tema con Natalia, ya convencida de que no debía participar en ese viaje y decidida
a librar una larga y difícil batalla, su hija sorprendió
a Esmé hablando con un lenguaje poco pulido que
no solía emplear con sus padres. También en eso era
tan distinta su adolescencia: Esmé había enarbolado
el lenguaje de la calle, esas palabras que no entraban
a su casa, que incorporaba ávidamente cada día y es-
candalizaban a Alcira y a León. Natalia, en cambio, les
hablaba a sus padres en un idioma reposado, neutro,
tranquilizador, muy diferente al que usaba con la gente
de su edad (Esmé se sobresaltaba, a veces, escuchándo-
la hablar por teléfono). Por eso le resultó inesperado no
sólo el contenido, sino la forma en que expresó Natalia
su rechazo a participar en el viaje de egresados:

—No voy, mamá, yo estoy en otra. Hay gente que necesita el viaje de egresados para poder chupar, curtir y falopearse a gusto. No me interesa.

¿Qué quería decir, Natalia? ¿Que ella se drogaba y se emborrachaba sin necesidad de excusas? (Esmé se negaba a incluir el sexo en el terreno de sus preocupaciones.)

A pesar de que hubiera querido saber lo menos posible sobre la familia del hombre muerto, a pesar de que se negaba a conocer su cara, su historia, su vida, fue imposible evitarlo. El hombre se había divorciado y vuelto a casar con una mujer más joven. Tenía dos hijos chicos, de cinco y siete años, y un adolescente de dieciocho, de su primera esposa, que atacó violentamente a Rita al salir de una audiencia. Los tres hijos y la segunda esposa eran querellantes. La mujer se negaba a hablar con la prensa. Se limitaba a llorar en todas las instancias del juicio en las que estaba presente. Su situación económica era muy precaria, el abogado que la asistía había aceptado cobrar después de que terminara el juicio civil, cuando pagara el seguro.

—Pobre gente —dijo Esmé, desalentada. Tomaban un café cerca de Tribunales.

—¡Pobre, pobre gente, qué horror! —Natalia subía la apuesta. —Y pobre Rita también, mamá. No sé cómo me sentiría si fuera responsable de algo así.

Esmé la miró fijamente y Naty le devolvió la mirada de sus ojos siempre límpidos, siempre claros, siempre fuertes. De pronto su expresión se descompuso en un gesto de odio.

—No me creés, ¿no? ¡Como siempre! Todos me creen menos vos. Mis compañeros, el tribunal, la gente. ¡Hasta la familia del muerto se da cuenta de que yo soy inocente! Pero vos siempre tenés que pensar lo peor de mí.

—Yo no dije nada.

—Pero nos conocemos.

—¿Nos conocemos?

—No sé. ¿Vos te diste cuenta de que estoy enamorada?

Con una de sus mejores sonrisas y la promesa implícita de una charla de mujer a mujer, Natalia había dado vuelta la conversación. ¿Enamorada? En esos días la doctora Martegut había insinuado que tener una pareja estable era algo que siempre causaba buena impresión en el tribunal.

Pero además, la acusación de Natalia, ¿era acaso completamente falsa? ¿No tenía razón, no explicaba incluso esa idea repugnante que acababa de cruzar su mente sobre el presunto amor de su hija? Y Esmé se preguntó si no era cierto que siempre, a lo largo de toda la vida, el cruel mordisco de la duda había perturbado sus relaciones con su hija. Si no era cierto que muchas veces había acallado casi por la fuerza una sensación de desconfianza, de sospecha, si era de todas las madres o sólo suya, se preguntó Esmé, esa idea atroz de que su hija le estaba mintiendo, o guardándose parte de la verdad, como, después de todo, lo hacen todos los hijos con todos los padres, como lo había hecho ella misma con Alcira, pero más y peor, porque ahora la madre era ella, la responsable, la culpable, la que había modelado esa arcilla que podría haberse convertido en una obra de arte y tal vez no lo era. ¿Y acaso cualquier pequeña desviación, cualquier mínimo error que se alejara del modelo ideal no era culpa suya, enteramente suya? ¿No había sido, acaso, esa sombra de duda, de temor, esa imposibilidad de creer totalmente, de manera ciega y total, en su hija, en las palabras, las posibilidades, las ilusiones, los logros de su hija, lo que había provocado la desviación? ¿No era ella, con su desconfianza, con sus sospechas, la que había causado las imperfecciones que rechazaba como si no fueran su obra, su producto, el resultado de sus propias imperfectas acciones, pensamientos?

Esmé llevaba ahora un peso en el corazón, más que un peso inerte, un monstruo vivo, que se la comía por dentro. ¿Cómo librarse de ese horror, cómo volver a creer en las palabras de Naty, cómo volver a confiar en su mirada? ¿Con quién hablar? No con Alcira, que se entendía perfectamente con su nieta, para bien y para mal. No con sus amigas: hablar mal de los hijos es escupir al cielo.

El novio de Natalia era Lautaro y Esmé no se sorprendió tanto como le hubiera gustado, pero fingió adecuadamente.

—¡Pero creí que lo odiabas! ¡Fue el que te acusó de *dealer* con la Cachavacha!

—Bueno, estoy más grande, mamá. Nos volvimos a encontrar en un boliche y tenés que ver cómo me pidió perdón. Patético. Me dio pena.

—Hijita, que un chico te dé pena no es una buena base para formar una pareja.

—Pero también lo quiero, mamá, cómo no lo voy a querer, si es un dulce de leche, haría cualquier cosa por mí.

Lautaro, en efecto, estaba dispuesto a hacer cualquier cosa por Natalia y daba pena verlo arrastrarse delante de ella, convertido en un perrito, siempre con la lengua afuera, ansioso por obtener una mirada, una caricia, un gesto de aprobación. Los padres de Lautaro no se olvidaban de las dudosas razones por las que su hijo tuvo que cambiar de colegio. Natalia no era bien recibida en su casa. Pero tampoco se atrevían a cerrarle la puerta.

La madre del muchacho quiso encontrarse una tarde con Esmé. Lautaro estaba ya en segundo año de biología y era ayudante de cátedra en una materia. Ahora había renunciado a una beca de pregrado para terminar la carrera en una universidad de La Haya. Una oportunidad única, insistía la madre.

—No quería separarse de Natalia —le dijo, sombría.

—Es la vida de ellos… Y las oportunidades únicas no existen. Así como le salió esto, le va a salir otra cosa, es un chico tan inteligente. Pero además, ¿yo qué puedo hacer? ¿Qué podemos hacer nosotras?

—No te pido que hagas nada. Sólo me gustaría saber saber si tu hija lo quiere. Si lo quiere de verdad. Si estaría dispuesta a renunciar a algo por él. A lo que sea. Porque Natalia no renuncia a nada, te diré. Más de una vez lo deja plantado. Lautaro no sabe qué hace, adónde va, ni con quién. Se está volviendo loco.

—¿Eso era todo lo que teníamos que hablar? —preguntó Esmé, cortante.

—También te quería preguntar si son ustedes los que le dan tanto dinero. Porque esa chica maneja mucha plata, Esmeralda. No la puedo acusar de estar viviéndolo a Lautaro, nosotros lo tenemos bien cortito.

Esmé pagó los cafés, se levantó y se fue.

Odiaba a las madres (eran sobre todo las madres de hijos varones) que se empeñaban en demostrar que las malas influencias, las novias o los amigos equivocados, eran los responsables de todo lo que les pasaba en la vida. De todo lo que no les gustaba o no estaban dispuestos a admitir en sus propios hijos.

Mientras tanto, había otro paso que los abogados consideraban necesario: Natalia debía recibir tratamiento psicológico. Esmé, por supuesto, estaba de acuerdo. El gran remedio universal de los argentinos se ponía en marcha otra vez.

Esmé consultó con varios terapeutas, y descartó de inmediato los que utilizaban la expresión «adolescente promiscua», que seguramente jamás hubieran usado con un varón. Esta vez el terapeuta elegido fue un hombre, el doctor Roth. Natalia lo aceptó sin discusión y lo soportó amablemente mientras duró el proceso. Esmé tuvo un par de conversaciones con el doctor, que parecía encantado con los progresos de su paciente. En verdad, desde el Desgraciado Accidente (ya todas las personas cercanas a Natalia empezaban a llamarlo de ese modo) Natalia no había vuelto a emborracharse ni parecía estar fumando marihuana. Si había que creer en las influencias, Lautaro quizá fuera una de las buenas.

En cuanto terminó el proceso, Natalia terminó casi simultáneamente con su noviazgo y con su tratamiento psicológico.

Diario 23

Las madres somos hoy esos monstruos a los que se acusa constantemente de filicidio, o como mínimo, de marcar el destino de nuestros hijos con trazos imborrables y destructivos. En particular, las madres burguesas, las que ni siquiera tenemos la excusa de la pobreza y el abandono, las madres con maridos y empleadas domésticas, las madres obligadas a controlar cada uno de nuestros gestos o palabras porque todo deja su huella en esa masa arcillosa que es, al parecer, la conciencia de nuestros niños. Somos nosotras, en resumen, las que tenemos la culpa de todo.

Con una pequeña posibilidad de descarga: hemos sido hijas. Nuestras propias madres, por lo tanto, son en buena parte responsables de nuestra vergonzosa conducta actual. La psicología moderna nos da la posibilidad de repartir la responsabilidad con nuestros progenitores y acusarlos de nuestros problemas como mañana seremos acusados de las angustias de nuestros descendientes. Los padres cargarán con la culpa de los hijos hasta la tercera y cuarta generación. Así la cuestión del fatalismo versus el libre albedrío se ha trasladado de la religión al psicoanálisis. El pobrecito no tiene la culpa, dice la gente: qué otra cosa se podía esperar con esa madre.

Hace poco me di el gusto de releer un libro muy popular en mi infancia: *Corazón*, de Edmundo de Amicis. Y volví a comprobar cómo han cambiado los conceptos que rigen nuestra vida social desde principios del siglo xx. Un reparto tan distinto de la carga de culpas. En esa época nadie se permitía pensar que una madre pudiera ser en modo alguno responsable de las fechorías de su pequeño. Una madre era generosa, abnegada, infinitamente buena por el solo hecho de ser MADRE. Una madre nunca se equivocaba, siempre hacía lo mejor para su hijo. Un niño era malo porque había nacido así, por efecto de la carga de perversidad que fluía en sus venas, más su mismísima voluntad de serlo.

El narrador de *Corazón* describe las maldades de un compañero perverso de modo irreductible. Es el malvado Franti, que a los nueve años le pega a los más chicos, desafía a los maestros y se saca malas notas en todas las materias. El padre de Franti es un delincuente y está preso. Nadie considera que las circunstancias en que se ha criado Franti tengan alguna relación con su maldad: él es así porque se le da la gana. En lugar de acusar a la madre de vaya a saber qué terribles errores en la educación del niño, en lugar de aconsejarle una visita al gabinete psicopedagógico, en una escena inolvidable el maestro toma a Franti del brazo, lo enfrenta con esa pobre mujer que se lleva una mano crispada al corazón, y le dice delante de todos: «¡Franti, estás matando a tu madre!»

Por otra parte, me preocupa que Natalia pueda tomarse como un modelo de su generación. Nada peor que los personajes modélicos, representantes de. El hecho de que aparezcan tantos clichés generacionales (el viaje de egresados, el consumo de alcohol) me obliga a bordear constantemente ese peligro. Y al mismo tiempo son ineludibles, hitos en la vida de los adolescentes del tercer milenio. Natalia debería aparecer como un caso único y no como un caso ejemplar. Hay que evitar de todas las maneras posibles el efecto generación-buena-generosa-comprometida-solidaria vs. generación-irresponsable-indiferente-no comprometida-egoísta-individualista, en el que además no creo.

Esta semana estuve conversando sobre este libro con mi agente. Creo que cuando se cruza la línea de las doscientas páginas ya no hay vuelta atrás: esto va a ser una novela y por lo tanto ya se puede empezar a hablar un poco (muy poco) sobre ella.

N... desconfía de mi Diario: ¿no va a perjudicar el efecto de lectura? ¿No podría desconcentrar al lector, afectando la verosimilitud del relato? Quizás, en parte. Pero se escribe lo que a uno le gustaría leer. Y a mí, como lectora, aunque no fuera del oficio, me resultaría apasionante que el escritor me contara dónde obtuvo sus materiales, cómo eligió ensamblarlos, cuáles son sus dudas y sus elecciones.

El reencuentro

Esmé lucha por encontrar un punto de relativa comodidad para poder dormir en el asiento del avión, que la constriñe angustiosamente. La laptop y la cartera ocupan buena parte del espacio previsto para sus pies, escaso y triste. La parte superior del respaldo tiene una suerte de solapas que pueden graduarse y sirven para apoyar la cabeza. Es decir, servirían, si ella midiera apenas diez centímetros más. No puede controlar el movimiento de sus piernas, que se cruzan y se descruzan y buscan con desesperación una posición que les permita descansar. Dormita con la cabeza apoyada en la mano y el codo sobre el apoyabrazos, pero se despierta enseguida con el brazo dormido, hormigueante. Intenta reclinar más el asiento, pero no es posible, el movimiento que tiene el respaldo es mínimo, casi simbólico. Sin embargo, es suficiente para que el asiento de adelante se le incruste casi en la cara. El espacio vital se reduce todavía más, incluso respirar se hace dificultoso. Con el despertar, la envuelve una ola de calor que sale de adentro de su cuerpo y la obliga a despegar del respaldo la espalda empapada de transpiración. Está claro que no se va a volver a dormir, es mejor, entonces, que trate de concentrarse en la película que están pasando en esas pantallas que cuelgan del techo del pasillo. No es uno de esos aviones nuevos que tienen la pantalla en el asiento de adelante. Se coloca los auriculares y busca el idioma español. Sabe que el sonido es malo y en inglés no va a entender nada. En español tampoco entiende nada. A su lado viaja una mujer curiosamente elegante, vestida con un traje bien cortado, una oficinista de alto rango que se destacaba ya en el aeropuerto, entre la muchedumbre de viajeros en zapatillas, con pantalones cómodos y remeras holgadas. Esmé inhala profundamente, deja salir un sonido que es casi una queja. Su compañera de viaje se hace cargo del suspiro.

—Y eso que vos podés viajar cómoda —le dice—. Yo llego y me llevan directamente a la empresa. —Es obvio que necesita justificar su atuendo.

—Yo voy a visitar a mi hija, que está haciendo el college en la Universidad de Virginia. No me espera. ¡Le voy a dar una sorpresa! —Y deseó que su compañera de viaje supiera, sin que ella tuviera necesidad de informarle, que la Universidad de Virginia estaba considerada como una de las veinte mejores universidades de Estados Unidos. Si sólo fuera Harvard, o Yale, no tendría necesidad de dar explicaciones.

Esmé quisiera darle más detalles, quisiera contarle que la chica no está sola, tan joven, en un país extranjero, que no es ella esa clase de madre, que el padre de su hija vive en Chicago, está lejos pero al menos está en el mismo hemisferio, en el mismo país, en esa mitad del continente a la que los americanos llaman América. Que el papá la invitó a vivir a con él y a los pocos meses su hija Natalia intentó y logró ingresar a la Universidad de Virginia, que es él, su ex marido, el que por fin se decidió a pagarle algo importante, y sólo espera que la plata le alcance hasta que Natalia termine el college, él fue siempre tan impredecible o quizá tan predecible, en fin, se enreda en pensamientos que nunca va a poder contarle a su compañera de viaje, quisiera decirle en cambio que su hija Natalia maneja perfectamente el inglés porque fue toda la vida a escuelas bilingües y que es muy pero muy inteligente, una muchacha grande ya, capaz de detectar que ciertas universidades necesitan completar un cupo de extranjeros, capaz de hacer trabajos comunitarios o participar activamente en asociaciones políticamente correctas para sumar los puntos que sus mediocres notas del secundario le restan. O tal vez no tenga por qué dar tanta información y en realidad no tiene que darla, porque su compañera de viaje le pide cortésmente que la deje pasar para ir al baño, es la única razón por la que se ha quitado los audífonos, y cuando vuelve se los coloca otra vez, con una sonrisa simpática, casi un pedido de disculpas, y se enfrasca en la película. Esmé mira un rato las imágenes sin sonido, que le resultan totalmente falsas, inverosímiles, puro artificio cinematográfico, y sin embargo sabe que si pudiera entender lo que dicen los personajes sería capaz de olvidarse de todo, de creer en la historia sin preguntas, enfrascarse en la trama con la misma pasión que otros pasajeros, inmóviles en sus asientos, a quienes sólo el movimiento de los ojos delata como vivos.

En Atlanta tiene dos horas para cambiar de terminal y buscar el vuelo de conexión a Charlottesville, donde está la universidad. No es la primera vez que viaja a Estados Unidos y respira hondo para compenetrarse con ese olor tan particular, ese olor tan yanqui de los aeropuertos, mezcla de canela, pizza, plástico, pegamento, desodorante. Mientras corre innecesaria-

mente (hay tiempo de sobra) por el aeropuerto, trata
de imaginar la cara de su hija. Se comunican mucho, se
ven en la pantalla, intercambian fotos y videos, pero
hace más de un año, más de un año entero que no la ve
y las fotos no lo dicen todo, hace mucho que Natalia no
manda una foto de cuerpo entero y tiene la cara más
rellenita, Esmé teme que haya engordado por culpa
de la comida chatarra, de la excesiva oferta de comida
que desborda por todos lados el mapa de los Estados
Unidos.

Aborda el vuelo de conexión pensando por milésima vez que tal vez cometió un error, que sería tan lindo bajar del avión y encontrarse a Natalia esperándola,
que quizá no haya sido buena idea llegar así, de sorpresa. En el breve vuelo entre Atlanta y Charlottesville sus
piernas se tranquilizan, se relaja (ya está casi allí) y se
queda, por fin, profundamente dormida.

Un taxi la lleva desde el aeropuerto hasta la dirección de su hija, esa dirección que ha acariciado tantas
veces en los paquetes que le mandó por correo, Natalia
pedía cosas tontas y tiernas que tenían que ver con su
infancia, que la conmovían. Ropa vieja pero querida, el
salto de cama fucsia, hecho ya un trapito, el payaso de
vidrio que le había regalado la abuela, el tazón con forma de ardilla, vení a visitarme, decía siempre Natalia,
vení cuando quieras, pero el cuando quieras se hacía
difícil, Esmé está viviendo en economía de guerra, haciendo un part-time en una agencia de promoción y
propaganda y completando el sueldo con free-lances
que cada vez le cuesta más conseguir y le pagan peor.
Alcira se ha convertido en una viejita imperiosa, todavía entera y al mando, pero debilitada, siempre difícil, dispuesta a despedir mucamas y/o enfermeras

sin piedad por su hija, que debe hacerse cargo con su cuerpo y su vida cada vez que una de las chicas que cuidan a su mamá la llama para decirle que se va del trabajo. En el último año Alcira ha sufrido una caída que le provocó dos hernias de disco y una neumonía que la tuvo internada durante quince días, aunque ya está casi recuperada. A Esmé no le resultó fácil dejarla sola en la ciudad, también las amigas de su madre están viejas, más o menos inválidas, se visitan poco.

El taxista es negro, muy negro, lejos del café con leche de la mayor parte de los negros estadounidenses, y tiene ganas de conversar. Esmé comprueba, sorprendida, que le entiende casi todo. Su comprensión del inglés es relativa, ha estado esforzándose un poco con la televisión, pero nunca alcanza a entender completamente lo que dicen en el noticiero de la CNN, cuando pierde el hilo o no conoce el tema ya no tiene manera de retomar. Van conversando casi a la argentina, el taxista le cuenta que es senegalés, lo que explica su acento tan amable de extranjero, hace cinco años que está viviendo en Charlottesville, Esmé descubre que no sólo Nueva York es cosmopolita, en Estados Unidos los inmigrantes de todo el mundo se derraman por todas partes.

Llegan a la dirección de su hija. El barrio y el departamento modesto, en planta baja, parte de un complejo de viviendas, son casi familiares, Natalia le mandó muchas fotos. Rogó y obtuvo de su padre el permiso para vivir fuera del campus, donde están los estudiantes más jóvenes. Sólo los mejores, los que tienen notas más altas, ocupan esas habitaciones antiguas, diseñadas por Jefferson, sin baño privado, un lujo desconocido en el siglo XIX, dormitorios que comparten baños y duchas y se reconocen por su pila de leña en la puerta, porque tampoco tienen calefacción. Pero Natalia ya tiene veinte años, es mayor que la mayoría de sus compañeros de primer año y ha preferido alquilar un departamentito en el pueblo con una amiga, ni siquiera es más caro que vivir en el campus.

Esmé sabe que llegar de sorpresa tiene consecuencias y se prepara para soportarlas. Si su hija no está en casa, irá a instalarse en un Starbucks cercano, que ya encontró en el mapa, lleva poco equipaje, apenas su carry-on y la cartera. Y la llamará por teléfono desde allí. Qué bueno para Natalia, qué bueno para todos que Guido haya podido ofrecerle esa posibilidad de empezar de nuevo en otro país, en otro mundo, después de todo lo que sufrió, pobrecita.

Por más que trata de prepararse para no encontrarla, para golpear la puerta inútilmente, de todos modos siente que el corazón se le acelera parada allí, a la entrada de ese nuevo mundo independiente, propio, que su hija ya no comparte con ella. Y sin embargo se escuchan ruidos, pisadas, la puerta se abre, Natalia está allí, la mira boquiabierta, con los ojos agrandados por la sorpresa, la cara, en efecto, más llenita, y un embarazo de seis meses o tal vez siete. Tiene puesto un pantalón de jogging que se adhiere a la panza y una remera azul oscuro, holgada, que dice «I'm not fat, I'm pregnant».

A Esmé se le descompone el alma, el amor le corre desesperado por las venas y se le sube a los ojos, la abraza como si no quisiera soltarla nunca. Natalia le devuelve el abrazo con cariño pero sin tanta emoción.

—¡Mamá! ¿Qué hacés acá? —sonríe, Natalia, qué suerte, qué alivio, había temido tanto su mala cara, su mal humor, el comentario agrio que la castigaría por haberse presentado así, sin avisar.

—Hijita, mi amor, mi vida, no me dijiste nada, por qué no me dijiste nada, ¿acaso yo...? ¿No me conocés? ¿Estás solita, tesoro, mi pichona, no tiene papá? ¿Guido sabe? —Esmé acaricia la panza de su hija, no puede quitar la mano de esa panza.

—No, no sabe, nos vimos hace un par de meses pero todavía no se me notaba. Pero sí, mamá, sí que tiene papá, ya lo vas a conocer.

—Pero por qué, por qué no me contaste... no me imaginaba...

—¡Ja ja, mirá quién habla! Yo tampoco me imaginaba que te iba a tener de repente por acá. Dale, vení que te acomodo y tomamos un tecito.

Esmé entra en una especie de extraño suspenso, una sensación eléctrica le recorre la piel, ya no siente el cansancio, esas ráfagas de agotamiento que siempre la abruman después de pasar la noche en un avión. Ahora no piensa en acostarse, en descansar, piensa solamente en todo lo que tienen que decirse, en esas palabras terribles y maravillosas que va a intercambiar con su hija, en el nieto que está creciendo en su nido cálido y seguro.

—¿Ya sabés si es varón o mujer?

—Por supuesto, es un varoncito. Se llama Timothy.

—¿Un nombre yanqui? ¿Entonces el papá también es de acá?

—El papá y la mamá.

—¡Pero la mamá sos vos!

—Bueno... no exactamente. En fin, hay un contrato... Mamá, vas a tener nietos, te prometo, pero no éste, ¿sabés? Éste no es tu nieto. —Natalia habla con calma, separando las palabras para obtener la mejor comprensión posible de lo que está diciendo.

—¿Un contrato? —repite tontamente Esmé.

Y entonces, de golpe, entiende. Y con la comprensión, una oleada de frío recorre su cuerpo, que estaba envuelto hasta ahora en una aterciopelada calidez de abuela, un viento helado, cargado de cristales de hielo, se le instala en los huecos del corazón y sopla desde allí hacia el resto su cuerpo, los dedos de las manos se le enfrían, no siente los pies.

—Natalia… pero no entiendo… Hijita, por qué…

—Por plata, mamá. Necesitaba plata.

—¡Plata! Pero yo te hubiera dado plata… tu papá…

—¿Cien mil dólares?

—¿Y para qué necesitabas cien mil dólares?

—¿Ves? Ni vos ni papá me podían dar esa plata. Pero aunque hubieran podido, mirá, no me diste nada y ya empezás con las preguntas. Yo necesito libertad, mamá. Y la libertad te la da la plata sin preguntas. Voy a entrar en un negocio muy interesante y necesitaba capital. Y no quiero hablar de eso.

—Pero vos… sos extranjera… ¡Vos no podés firmar un contrato! ¡Vendiste tu panza!

—No vendí nada, mamá, alquilé. Es un recurso renovable. Y sí puedo firmar un contrato porque ahora soy portorriqueña y tengo veinticuatro años.

—¿Estás con documentos falsos? ¿Estás en Estados Unidos, en la universidad con documentos falsos?

—No estoy en la universidad, mamá. Pensaba hablar con papá después que pasara esto. Y no te equivoques: los documentos no son falsos, son absolutamente auténticos. Me los vendió una chica portorriqueña y los pagué por buenos.

—Pero vos…

—El único problema fue que me pararon por un problema de tránsito y saltó un *record* de multas que no me esperaba, ahora tengo que hacer un cursito para poder seguir usando el registro. Y sin registro, aquí, no se puede estar, ya sabés, el auto es la vida.

—Pero los padres…

—Los padres vienen esta tarde, si querés te podés quedar, son buena gente. Les va a encantar conocer a mi mamá. Ni tenés que fingir acento portorriqueño, no distinguen.

Esmé se sienta en un sillón un poco bajo para sus rodillas, que van a protestar después de un rato en esa posición. Levanta la taza de té, que no tiene asa, y se quema la mano, pero agradece casi ese dolor que la saca por un momento de la angustia, que le recuerda que tiene cuerpo.

Mira a su alrededor y entiende de otra manera esa neutralidad que había notado al entrar al departamento de su hija. Los grabados de paisajes japoneses en las paredes, la moquette impecable, el reproductor de sonido, la computadora…

—¿Y el college? ¿Ya no pensás ir nunca más al college? ¿El año que viene? —pregunta, desalentada, porque ya sabe la respuesta.

Imbécil, se dice a sí misma, ¿por qué en esa circunstancia atroz le está dando importancia a algo tan tonto, tan secundario? Pero si al menos estudiara, si al menos siguiera estudiando… Como la mayoría de los padres, incluso los de su generación, Esmé le asigna a la universidad un valor mágico, indiscutible.

—Pensá en toda la plata que les ahorro, mamá. Y te lo digo en plural porque vos sabés tan bien como yo que papá no iba a seguir pagando solo, ya se está demorando en las cuotas. Al final te ibas a tener que poner vos.

Esmé trata de pensar en la plata y en los problemas de plata y en las discusiones con Guido que se ahorra pero solamente puede pensar en el bebé que crece dentro de la panza de su hija y en el misterioso emprendimiento de los cien mil dólares, ese negocio del que no se puede hablar. Tiene miedo, mucho miedo. El esfuerzo de la noche sin dormir cae sobre ella como un oso peludo, pesado, inmenso. Se le ocurren alternativas para quedarse con su nieto. Podría denunciarla, hablar con un abogado, firmado con documentos falsos ese contrato no puede ser legal. Y su hija sería deportada, pero eso no estaría mal, podría recuperarla, ¿o iría presa? Naty está en USA con visa de estudiante, no es una inmigrante ilegal, ¿entonces iría presa? Pero el bebé, cómo recuperar al bebé, está la cuestión del ADN. El padre reclamaría al bebé de todas maneras… Y quizá la madre, la otra… Pero además, ¿quién será la madre biológica? ¿Será Natalia la verdadera madre, la dueña del óvulo, de la panza? ¿O sólo de la panza? ¿Acaso la madre no podría ser también una tercera, una anónima donante de óvulos? ¿De quién era el óvulo, de quién eran los espermatozoides? ¿Del que los había comprado? Porque el embrión sí, aunque ya no era ningún embrión, casi siete meses ya, el feto, el bebé se sabía perfectamente de quién era, era del que pagaba, del que había extendido el contrato. No tiene que obligarse a callar su mente, el silencio interior la invade de a poco, tendría que cambiarse, deshacer la valija, acostarse en una cama pero es mejor así, es mejor irse de este mundo confuso, doloroso, escaparse, el sueño se la lleva por un camino oscuro y tranquilo y es mejor así, dejarse resbalar suavemente por el sofá, quedarse dormida sin esfuerzo, sin desabrocharse el corpiño, agradecida de estar usando un pantalón viejo y cómodo con elástico en la cintura, sumergirse sin pensar en un sueño sin sueños del que la saca brutal el sonido del timbre.

—Son los padres —dice Naty.

—Pero yo quería cambiarme, lavarme los dientes… —De golpe se le ocurre que quiere causar buena impresión, imponerse con cierta presencia ante esos desconocidos que vienen a robarle, convertirse por un momento en una mujer severa, alta, elegante.

—Estás muy bien así, mamá. —Naty le hace la seña internacional de silencio antes de abrir la puerta y Esmé entiende que para su hija es bueno presentar a una madre un poco desaliñada, vestida con ropa vieja, con los ojos colorados y mal aliento. Algo más parecido al cliché de una madre portorriqueña cuya hija ha tomado la decisión, dura pero necesaria, de alquilar su vientre.

Entran los padres, los verdaderos padres del bebé que Natalia lleva en su cuerpo, los padres que han pagado o se han comprometido a pagar por ese bebé (¿cómo será el contrato? ¿contemplará anticipos, pagos escalonados?), más que los padres, los dueños, y Esmé piensa que si esto fuera una novela, si sólo fuera una novela, lo que sigue se podría pasar por alto. En una novela, en una película no hay necesidad de soportar la maldita sucesión de segundos que constituyen cada minuto. Se podría saltar toda la escena y pasar a otra situación, saltar en el tiempo y ubicarse en unos meses después del parto, Natalia recuperada ya, quizás estudiando otra vez, en otra universidad, el salto podría ser geográfico, podría estar en Buenos Aires, podría no aparecer Natalia en la siguiente escena, podría no aparecer Esmé, que se pone de pie, sin embargo, para saludar cortésmente al señor y la señora Dobbs, él es un hombre bajo, morrudo, de ese rubio sanguíneo que enrojece el cutis con cada cambio de humor, la saluda con mucha amabilidad y una mirada curiosa pero no le extiende la mano, prefiere no tocarla, la señora Dobbs, en cambio, la abraza cálidamente, tiene el pelo lacio y la piel morena, está vestida con un sari, lo usa por identificación con la cultura de la India, un país en el que sin embargo no ha nacido ella, aclara Natalia, pero sí sus padres, los desconcertados abuelos de ese nieto que dentro de dos meses estará en sus brazos.

Todo lo que viene a continuación se desarrolla como en un sueño, como en uno de esos sueños absurdos, no exactamente una pesadilla, aunque no puede dejar de percibir un clima de angustia que se cierne sobre toda la escena o quizás es mentira, es solamente ella la que lo siente, los demás están contentos, habituados, los padres del bebé parecen conocer muy bien la casa.

La señora Dobbs se apodera de la cocina, ha traído una torta de chocolate, y una bolsa de papel llena de delicias que coloca ordenadamente en su lugar, quesos italianos y franceses, salmón de Alaska, galletitas con canela de Pepperidge Farm, que desentonan entre las exquisiteces importadas pero que le gustan mucho a Natalia, le explica a Esmé, casi disculpándose. El señor Dobbs y señora se esfuerzan de todas las maneras posibles por ser amables y encantadores, se esfuerzan

por seducirla, sonríen, la señora prepara té verde para
todos, preferimos que no tome café, le explican a la
madre del tanque hidropónico donde está creciendo su
hijo, ojalá fuera una máquina, debe pensar esa mujer,
ojalá fuera una máquina y no otro ser humano, otro
imprevisible, maldito ser humano, otra mujer, con
deseos y mentiras y amores y problemas, ojalá fuera
una máquina y no su hija, piensa también Esmé, pero
no Natalia, vaya a saber qué piensa Natalia, por el momento parece infinitamente cómoda y relajada en su
papel, come un trozo de torta, conversa amablemente
con los dueños del bebé que se mueve ya en su vientre,
toma la mano de la madre y la posa sobre ese vientre
para que sienta las enérgicas patadas de eso que llaman
hijo. Esmé quisiera entender pero hablan rápido, pesca
frases y palabras sueltas, ve que la cara de su hija, tan
fresca y relajada, va cambiando hacia una expresión
triste, dolorosa, una expresión que sin embargo no
le resulta totalmente desconocida, Natalia necesita
algo, *job*, escucha, entiende, *standing*, y después *legs*,
y Naty le muestra a la señora Dobbs una minúscula
marca azulada en la pantorrilla, algo que quizá dentro
de treinta años podría llegar a convertirse en una vá-
rice, la mujer morena sacude la cabeza en un gesto de
comprensión y de espanto, no puede ser, no puede ser,
habla rápidamente con su marido en una conversación
que sube de tono, piden disculpas y se levantan los
dos para seguir la conversación en privado, se encie-
rran en la cocina por un momento muy breve, el señor
Dobbs sale con la cara más roja todavía, de muy mal
humor extiende un cheque y se lo entrega a Natalia
que lo mira con una expresión de afecto tan sincera,
con esa sonrisa maravillosa, con esa mirada tan lím-

pida que de alguna manera se las arregla para borrar el
ceño fruncido, y a continuación, como si no se pudiera
contener, como si sintiera un impulso irrefrenable, un
poco infantil, ese estilo de reacción apasionada que los
norteamericanos atribuyen a los latinos, a los hispáni-
cos, como se los llama ahora, como si fuera totalmente
inevitable se lanza sobre la pareja y los abraza, uno por
uno, un abrazo tierno, dulcísimo, agradecido para la
señora Dobbs y otro para el señor Dobbs, tal vez un
poco más estrecho, con un beso peligroso, cerca de la
boca, imperceptible para la señora Dobbs pero no para
Esmé, un beso que el hombre acepta un poco incómodo pero no sin agrado.

Esmeralda siente un impulso extraño, inesperado,
quisiera hacer algo por ellos, por esa pareja que sufre y
espera, quisiera defenderlos, protegerlos, advertirlos y
es imposible, harían lo que fuera por tener a su bebé,
están entregados, perdidos, están totalmente a merced
de ese vientre que tiene atrapado a su hijo como rehén.

Diario 24

No necesito explicar de dónde salió la información sobre el viaje en avión. En cambio al lector podría interesarle saber que viví dos meses en la Universidad de Virginia, dando un curso de escritura creativa. Fue una experiencia muy interesante trabajar en taller con chicos que estaban aprendiendo español. Al principio el español macarrónico con que respondían por escrito a mis consignas me llenaba de pavor. Tenía en mi clase a unos pocos estudiantes latinoamericanos y suspiraba de alivio cuando llegaba a sus trabajos, escritos en correcto castellano. Poco a poco me di cuenta de que había estudiantes que no dominaban el idioma y sin embargo lo que escribían era mucho más interesante, rico, profundo, inventivo, perturbador que los textos de algunos *nativespeakers*. Entonces, la literatura ¿no es puro lenguaje? ¿Qué es, dónde está la literatura, ese misterio que aparece por encima y por debajo del dominio de la lengua? Entretanto, en este capítulo, algunos datos concretos y arbitrarios sobre la universidad, que no cumplen ninguna función en el desarrollo de la trama, realzan la verosimilitud del relato.

En una primera versión, Natalia cumplía veintiún años, la mayoría de edad. Pero decidí que no me convenía fechar con precisión el episodio. Sin edad, Naty podría ser algo mayor, estar en los veintipocos, y lo prefiero así, a esta altura es importante que sus acciones y decisiones no sean sólo errores de adolescencia.

Me cuesta mucho terminar esta novela. Me pregunto, sin respuesta posible, por qué elegí un tema tan cruel. De todos los elementos que juegan en la construcción de un texto literario, el tema es el más misterioso, el más independiente de la voluntad consciente del autor. En su *Método de Composición*, Edgar Allan Poe describe con rigurosa racionalidad todas la instancias que lo llevan a la composición de su poema «El cuervo». No hay deliquios románticos, se develan todos los misterios, se habla de técnica y oficio, se ignora la supuesta inspiración. El discurso casi científico de Poe fracasa en un solo punto: cuando trata de explicar la elección del tema. Se trata de poesía y por lo tanto el tema debe ser bello, dice el escritor: ¿y qué hay tan bello como la muerte de una joven hermosa? Es esa idea personal, arbitraria, absurda, inexplicable, que cada uno de nosotros tiene de la belleza, de los temas...

Me gustaría poder engañar a mis lectores, lograr que no sepan cuánto falta todavía para el final, pero es imposible. El lector tiene el libro en la mano y puede notar a simple vista que le quedan pocas páginas sin leer, o poco porcentaje si está leyendo un e-book. El autor, por su parte, no lo ignora, sabe que el lector tiene datos concretos que vaticinan un próximo final. ¿En qué medida afecta o determina la escritura esa certeza física?

La visita

Esmé no se sorprende cuando la voz en el teléfono se presenta como un amigo de Natalia. Hace muchos días, muchas semanas que la estaba esperando: la voz, la llamada, la información. No sorprende pero se alegra. Es muy raro que Natalia no se comunique durante tanto tiempo. Ahora es una mujer adulta y la cuida, de muchas maneras incluso la protege. Ha sucedido, en otras oportunidades, que durante cierto tiempo Natalia no conteste mails ni mensajes, que no se la pueda encontrar en ninguno de sus muchos celulares, pero siempre, de algún modo, se comunica con ella para tranquilizarla, en más de una ocasión a través de otra persona, como ahora.

El hombre está cerca, dice, y quiere pasar por allí, conversar personalmente con ella. No hay razones para desconfiar. Esmé echa un vistazo insatisfecho y malhumorado a su alrededor, quisiera que el mensajero se lleve la mejor impresión posible de la madre de Natalia, pero ya no es mucho lo que puede hacer. No quiere demorarse ni un minuto más de lo necesario. Decide que bastará con limpiar la mesa y juntar los diarios, esos diarios en papel que ya tanta gente abandonó, que ella todavía se permite como un pequeño lujo.

El hombre está abajo, tocando el portero eléctrico. Su presencia le da esperanzas después de tantos días de angustia y silencio. Esmé se mira en el espejo del baño y se pasa rápidamente el cepillo por el pelo desordenado, pero no se maquilla ni se perfuma. El amigo de Natalia tiene una voz joven y el encuentro con un hombre relativamente joven siempre la perturba, ella tiene más de sesenta años y la pérdida de la juventud, la pérdida del atractivo sexual, esa arma poderosa, la hace sentir desprotegida, indefensa, expuesta. Sobre todo se cuida hasta el infinito de que el hombre (ese hombre o cualquier otro) pueda sospechar de cualquier intento de seducción de su parte. Como una paranoia al revés, teme más que nada que el otro pueda sentirse perseguido, teme convertirse, en la imagen de los demás, en una vieja acosadora. Eso no significa que haya renunciado a toda posibilidad, a todo encuentro, sigue viendo a algún viejo amigo, incluso está dispuesta a iniciar nuevas relaciones, pero prefiere pensar en hombres de su edad o algo mayores, siente que ahora debe ser cautelosa, desesperadamente cautelosa.

No puede tener más de cuarenta y cinco años, el hombre que entra ahora a su casa, y nada en él llama la atención, se alegra de no tener que describirlo, Esmé, porque no encontraría palabras para definir sus rasgos. No es atractivo ni demasiado feo, una cara como todas, ojos castaños, pelo castaño con algunas canas, usa un jean recto, clásico, un pullover verde oscuro sobre la camisa blanca, tiene un estilo neutro quizás exagerado, y al principio le parece un poco tonto pero después no, después comienza a traicionarlo la mirada. Sí sí, contesta, con poca convicción a la primera y ansiosa pregunta de Esmé, sí, claro, Natalia está bien, pero no avanza, no abunda en detalles, no precisa ningún mensaje.

En pocos minutos Esmeralda se da cuenta de que le ha mentido, de que el hombre no es amigo de su hija, de que su conversación fútil, un poco al azar, no le dará ninguna información, ningún dato, nada de lo que ella espera, y en cambio, con más preguntas que respuestas, va encaminada, la conversación, a averiguar cuánto sabe ella de las actividades de Natalia.

¿Y qué sabe, cuánto sabe ella, Esmé, su madre, de las actividades de Natalia? Nada, o poco menos que nada. La ve poco. Sabe que su hija es una mujer de negocios, muy exitosa, por supuesto, directiva de un laboratorio austríaco, de nombre impronunciable y excelentes referencias en Internet al que su hija se refiere con cierto respeto, y sin llamarlo nunca por su nombre, el Laboratorio, suele decir, con una evidente L mayúscula. Se jacta un poco Esmé, lo mínimo indispensable, con sus amigas, las corrige cuando hablan de su hija como una alta ejecutiva. Ejecutiva no, directiva, aclara, insiste: una socia, una de las dueñas. Pero no es algo de lo que quiera o necesite hablar con ese hombre, que despliega una sonrisa encantadora cuando ella menciona el laboratorio austríaco cuyo nombre por lo visto él conoce bien, es incluso capaz de pronunciar, un laboratorio conocido, con una trayectoria impecable, ¿y está segura, la señora, que es allí, en ese preciso laboratorio y no en otro, donde trabaja su hija? Sí, por supuesto, Esmé está segura, completamente segura, y si no lo estuviera él jamás lo sabría, no tiene por qué exhibir sus dudas delante de cualquier desconocido.

Natalia es muy capaz, muy brillante, no le extraña a su madre que dirija el departamento de marketing de su empresa, desde chiquita tuvo esa habilidad, esa vocación, esa aptitud para ganar plata, podría haber sido una gran economista si le hubiera gustado estudiar, pero ella era impaciente, eligió entrar directamente, desde muy joven, al mundo de los negocios, exitosa y buena hija, siempre dispuesta a ayudarla con dinero, aunque de eso prefiere no hablar mucho, Esmé, orgullosa de su propia independencia personal: fue la primera de sus amigas en independizarse de sus padres, logró sobrevivir a la separación sin reducir su espacio vital, también ella fue exitosa en su momento, una creativa estrella, Esmé, aunque ahora le cueste tanto conseguir un free-lance y tenga que malvivir de las clases de redacción publicitaria en una universidad privada, y la avergüenza muchísimo estar aceptando, en los últimos años, dinero de su hija, por más que Naty trate de hacerle sentir de todas las formas posibles que se lo está ganando, algo que ni siquiera menciona delante del hombre, al que vaya a saber por qué todavía no echó de su casa, tal vez porque prefiere manejar esta cuestión con tranquilidad, con discreción, tal vez porque el hombre le está hablando ahora, sin duda para distraerla, de su madre, de Alcira, a la que su amiga Natalia, le asegura (pero Esmé ya no le cree nada), tanto menciona.

Tiene que admitir, Esmé (el intercambio de palabras con el hombre es tan formal, tan convencional, que le permite a la mente de Esmé vagar sin esfuerzo), tiene que admitir pero sólo ante sí misma que después de la muerte de su madre se ha sentido sorprendentemente sola, descentrada, sólo entonces ha comprendido hasta qué punto había vivido para rebelarse, para oponerse en forma sistemática, esencial, a cualquier cosa que su madre propusiera, dijera, y ahora, sin las opiniones tajantes de Alcira acerca de todas las cosas de este mundo, Esmé, simplemente, no sabe qué pensar.

Pero ¿qué sabe, cuánto sabe Esmé, en realidad, sobre las actividades de su hija? Más de lo que quisiera, menos de lo que imagina. Natalia tiene un departamento en Buenos Aires, que insistió en poner a nombre de su madre (tanto más cómodo así, mamá, vos sos la que está siempre acá, más de una vez tendrás que hacerme algún trámite), un cuatro ambientes grande en Puerto Madero, muy confortable para una persona sola que de todos modos no pasa demasiado tiempo en la ciudad. Es un gusto verla a Naty cuando viene de alguno de sus viajes de trabajo, siempre en primera clase, a su abuela, que le daba tanta importancia al buen vestir, le hubiera encantado su estilo, piensa Esmé: la ropa de marca, los zapatos Ferragamo, las joyas de Bulgari, los vestidos y los combinados de Marc Jacobs, de Kenzo, de Armani, el equipaje Vuitton, todas las señales y banderas de la alta prosperidad. A veces viene acompañada y Esmé recibe a cada uno de sus novios, argentinos o extranjeros (a todo se llama novio en estos días, piensa a veces, con un suspiro), con la misma alegría y entusiasmo, con la ilusión de que se repita, pero ninguno vuelve, Natalia parece poco interesada en asumir compromisos. Eso sí: nunca le hubiera contado Esmé a su madre que Naty solía llevar un arma en su bonita cartera Michael Kors, notable que Chanel vuelva a estar de moda, Alcira era de otra generación, no hubiera entendido lo que es ahora la inseguridad, el peligro de entrar a una casa de noche, una mujer sola, la necesidad de defenderse de la delincuencia. Tampoco, por supuesto, se lo cuenta ni se lo contaría jamás al hombre que se ha sentado muy cómodo, muy relajado en uno de los sillones, sin que nadie lo invitara, que ha rechazado el café y en cambio acepta un té que sopla con entusiasmo mientras come las naranjitas con chocolate. Más de una vez Natalia le explicó a Esmé los problemas y peligros del espionaje industrial, enfatizando la importancia de no hablar sobre ella con desconocidos, de no dar datos innecesarios sobre sus actividades o sus viajes.

Esmé no quiere hacer nada brusco, nada que llame la atención, finge aceptar la mentira, finge creer que se trata de un buen amigo de su hija, y el hombre se queda más de una hora, hablando de muchas cosas, haciendo comentarios sobre el clima, sobre los muebles, sobre la reproducción de Alonso que Esmé ha colocado sobre el sillón de dos cuerpos, es una persona agradable, el hombre, y no es un ignorante, entiende algo de cuadros, de pintores, conoce el mejor lugar en Buenos Aires para conseguir naranjitas con chocolate, qué casualidad, también sus preferidas, una pequeña bombonería cerca de la librería El Ateneo. Y sigue dejando caer preguntas, el hombre, como distraídas, como tontas, a las que Esmé sigue dando respuestas como distraídas, como tontas, esquivando con una habilidad de la que está orgullosa los pocos datos que tiene sobre las actividades de su hija. Sabe y no dirá, por ejemplo, que además del departamento, Naty ha hecho muchas inversiones en el país, aunque por razones impositivas, le ha explicado, prefiere que estén a nombre de sociedades anónimas, algo que Esmé entiende perfectamente, porque el fisco se ha vuelto implacable, devorador. ¿Cómo funcionaba el país en aquellos lejanos tiempos de su infancia, de su adolescencia, en los que, salvo las empresas, nadie pagaba impuestos, porque ni siquiera intentaba, el Estado, cobrar impuestos a las personas, y sin embargo la Argentina era tanto más rica, tanto más clase media, estaba tanto más cerca de aquel famoso y maldito granero del mundo del que le hablaban sus padres, sus maestras? Por supuesto que no le menciona al hombre la cuestión de las inversiones de su hija y desvía hábilmente la conversación cuando ronda ese tema. Si el misterioso caballero ha venido a investigar la situación patrimonial de Natalia, no será ella quien le dé información.

Tampoco le cuenta sobre aquella ocasión en que el Laboratorio tuvo problemas con un depósito con el que trabajaba habitualmente y Natalia le pidió que le guardara en su casa unas cajas que habían recibido, cajas grandes, inesperadamente livianas, cuyo contenido Esmé espió sólo una vez para comprobar que estaban llenas de muchas cajitas más chicas bien impresas, tan tranquilizadoramente formales, con el logo de una marca que no conocía, y qué bueno que las cajas no estuvieran en ese momento en su casa, ocupaban mucho lugar, era imposible disimularlas o esconderlas, al hombre, suponía, le hubiera interesado verlas y para qué. Si nunca se repitió y además, ella estaba segura, había sido solamente uno de los inventos de Natalia para hacerla sentir mejor, para que Esmé pudiera recibir sin incomodidad el dinero que no le estaba dando de su bolsillo, aseguraba Natalia, sino que venía del Laboratorio, sólo que a veces el papeleo era tan complicado que preferían darle el dinero como viático, para que ella lo manejara de acuerdo con las necesidades del momento.

Sólo por eso, porque sabía que no era plata de su bolsillo, aceptó Esmé más de una vez que su hija le pagara el precio equivalente al de una habitación de lujo en un hotel cinco estrellas por la estadía en su casa de alguna persona del exterior que trabajaba para el laboratorio y necesitaba alojamiento temporario en la ciudad. Y en qué hotel cinco estrellas van a estar como en tu casa, decía Naty. La primera vez fue una sorpresa. El hombre se llamaba o decía llamarse Antonio y vino con Natalia, que lo presentó como uno de los choferes de la empresa.

Antonio era un tipo grandote, vestido con ropa gastada que le quedaba chica y parecía prestada o heredada. Hablaba con una tonada latinoamericana que Esmeralda no pudo reconocer y se mostraba muy respetuoso y agradecido. Se quedó tres días en los que no salió del departamento, instalado en el cuarto que había sido de Naty, escuchando todo el día algo que salía de su celular y que finalmente le hizo a escuchar también a Esmé, música pop peruana, una especie de tristísima cumbia andina, tonadas melancólicas sobre amores fracasados.

—¿Usted trabaja con mi hija? —preguntó Esmé, en el primer almuerzo que compartieron. Le había hecho comida sencilla, carne al horno con papas y cebollas, que el hombre elogió y se comió con mucho apetito.

—Fui su chofer en Lima —dijo el hombre, mientras se sonaba la nariz con un pañuelo de tela bastante sucio, de los que Esmé había pensado que no existían más—. Su hija es una grosa —agregó, con una expresión muy argentina.

Y fue inútil tratar de prolongar la conversación sobre el tema del trabajo, porque Antonio se limitaba a contestar con una sonrisa contenida para la que tenía muy buenas razones: le faltaba un diente de adelante.

Los empleados del laboratorio, hombres y mujeres que se alojaban por un tiempo muy breve en casa de Esmé (nunca más de dos o tres días) eran gente callada, casi no salían a la calle y pasaban buena parte de su estadía encerrados en la habitación.

A veces, muy pocas veces, Esmé trataba de conversar en serio con Natalia. Su hija le clavaba la mirada de sus ojos color miel y sonreía con ese gesto encantador que la madre conocía desde la infancia, esa sonrisa límpida, inocente, en la que por cierto no faltaba ningún diente, y que la transformaba en una superficie dura y cerrada como una pared.

Hubo una vez, una sola, y por supuesto tampoco acerca de ese episodio, sobre todo de ese episodio jamás hubiera hablado Esmé con el hombre que come naranjitas con chocolate y que, aunque todavía no lo ha dicho, se va revelando cada vez más obviamente como policía, un detective de la policía. Una tarde, en una de las raras visitas de su hija, miraban juntas la tele. Natalia se había puesto ropa cómoda, un jogging de entrecasa, ropa de tomar mate, decía ella. Miraban sin prestar mucha atención, Esmé controlaba el zapping, nada de deportes, nada de infantiles, un poco de canales de aire, un poco de comidas, un poco de tiburones, un poco de realities, un poco de torturas (casi cada dos canales había alguna escena de alguna persona atada y semidesnuda, gimiendo a través de la mordaza, que Esmé pasaba rápidamente para volver una y otra vez a los tiburones, tan relajantes a pesar de la voz ominosa del relator), hasta quedarse en un canal de noticias, dejá acá, había dicho Natalia, y acá era el relato de un crimen, el asesinato de tres hombres jóvenes en un shopping que el locutor anunciaba como un ajuste de cuentas, algo que tenía que ver confusamente con la industria farmacéutica y elaboración de cocaína, se mencionaban los precursores que ya no eran, como en las buenas épocas, personas cuyo talento o voluntad los convertía en visionarios, adelantados a su época, ahora la palabra precursores había tomado una connotación peligrosa, dañina, delictiva, los periodistas hablaban con seriedad de los precursores de cocaína como si supieran exactamente de qué se trataba. Y por un instante, sólo por un instante, Esmé dejó caer el manto de ingenuidad con el que fingía cubrir sus certezas, dejó por un instante de hacerse la tonta no sólo ante sus amigas sino ante sí misma, ante su propia conciencia, y en un impulso, arrepintiéndose de sus palabras a medida que las pronunciaba, le preguntó a Natalia:

—¿Ustedes tuvieron algo que ver?

Y Natalia, increíblemente, aceptando entrar por un instante, pero sólo por un instante, en esa brecha que se abría en la niebla que dominaba habitualmente sus relaciones, sus conversaciones, le contestó en el mismo tono simple y directo:

—No. El Laboratorio no se ocupa de eso. Una vez te dije que la cocaína no era lo mío. Era chica, era tonta y no entendía nada, pero ahí no me equivoqué.

Así se terminó esa conversación breve, pero clara, sobre la que nunca volvieron y que jamás le comentaría al hombre que ahora está dejando de lado su excusa, su disfraz, que está presentándose formalmente antes de irse, develando su obvia identidad, poniéndose de pie, diciéndole a Esmé palabras atroces que no tiene ninguna razón para creer.

—Sabemos que usted no tiene noticias de su hija desde hace bastante, señora Esmeralda. Las noticias que tenemos nosotros no son buenas. Creemos que fue poco después de su última visita al país, que fue un enfrentamiento entre bandas, que su cuerpo fue arrojado al mar, tal vez desde una avioneta.

El hombre se va, Esmé cierra la puerta sin violencia pero dando a entender, con su gesto, que la está cerrando para siempre, y su mente empieza a dar vueltas en forma enloquecida, afiebrada, alrededor de sus palabras. Es mentira, claro que es mentira. Fue el último intento de hacerla hablar, de sonsacarle información. Es evidente que el tipo conoce la historia de la familia, ellos saben perfectamente lo que pasó con Regina, esa historia sobre Natalia y el vuelo de la muerte parece una mentira inteligente, bien urdida, perfecta para desestabilizar a una persona que ha sufrido lo que sufrió Esmé durante la dictadura. Pero no lo logró. Esmé se mantuvo firme, callada, sin llorar, se despidió del hombre incluso con elegancia, como una dama, su madre hubiera estado orgullosa: como una dama.

Sola por fin, sentada en el sillón verde de pana, el más cómodo, el que tiene la marca clara de su cabeza apoyada en el respaldo, aplastando y deformando la pana con su peso leve, el sillón de leer, el que la contiene y la abraza sin pedirle nada, sin exigirle nada, sin preguntar nada, el sillón que es casi como su madre, como le hubiera gustado que fuera su madre, Esmeralda se permite tratar de entender lo que está sintiendo, esa extraña sensación que le oprime el pecho y no la deja llorar. Y se pregunta. Se pregunta como tantas veces se lo preguntó antes, como en tantas noches de insomnio en las que su pensamiento se paseó de todas las maneras posibles, a través de todos los caminos, por la cuestión central de su vida. Se pregunta cómo y por qué y cuál fue su participación, su responsabilidad, su monstruosa culpa pero sobre todo cuándo, cuándo, cuándo empezó todo. Desde que dejó de fumar, Esmé tiene una pesadilla recurrente: se encuentra, de pronto, en su sueño, fumando un cigarrillo y sabe que ha caído otra vez, sabe que ahora ha vuelto a estar atrapada en la adicción y que esta vez es para siempre, que ya no va a poder librarse nunca, pero en el sueño no consigue recordar cuál fue el primero, en qué momento, borrado de su mente, prendió otra vez el primer cigarrillo, el fatídico, el mortal, el que la ha llevado a volver a fumar como antes, como siempre. Así, sin respuesta posible, su mente repasa ahora en desorden, a saltos, yendo y viniendo, la historia de su maternidad, la historia de su vida, tratando de encontrar el punto inicial, el instante clave en el que se desencadenó el error, el horror. Y ni siquiera puede llorar.

Debería llamar a Guido para contarle sobre la visita del detective, sobre su terrible despedida. Ojalá decida venir por unos días, piensa, ojalá venga a encontrarse con ella, ojalá tenga la misma necesidad que tiene ella de hablar y también de estar juntos y recordar sin palabras, porque a veces las palabras son inútiles, estúpidas, pesadas como moscardones, Guido querrá, sin duda, abrazarla, como ella necesita en este momento abrazarlo a él, no porque lo siga queriendo, sino porque nadie en el mundo quiso (¿quiere?) a Natalia como él, como ella. Mientras decide llamar a Guido, Esmé se aferra a los brazos del sillón verde, se apoya en ellos para ponerse de pie, se tambalea hacia la cocina, realiza, sin necesidad de hacer intervenir a su mente, la serie de gestos mecánicos, automáticos, estereotipados que sirven para hacerse un té, mira con odio la pava

sobre el fuego, el agua que sigue hirviendo, convirtién-
dose en vapor apenas alcanza los cien grados, como si
todo fuera igual, como si nada hubiera cambiado en el
universo. Sobre su pecho, coartando su respiración,
secando las fuentes del llanto, sigue pesando ese sentimiento extraño que se sobrepone al dolor, al horror,
a la culpa, a la pena, ese sentimiento que todavía no es
capaz de reconocer, de aceptar.

Pero no está muerta, se dice, Natalia no está muerta,
está solamente desaparecida, solamente, solamente, y
ese solamente no le basta, le basta la casi certeza del
falso amigo de Natalia, al que sigue llamando, para sí
misma, «el hombre», le basta la palabra desaparecida,
que en Argentina suena a muerte. No deja de pensar en
Regina, en su hermana, en su cadáver tan perfecto, tan
bien recompuesto por la funeraria, que logró disimu-
lar con tanto arte las heridas, ese cadáver que decidieron sin embargo velar con el cajón tapado para evitar
la curiosidad inevitable y cruel de los parientes, de los
amigos. En la época en que los militantes se convertían en desaparecidos, dejando a su gente en la tortura
de la duda, ellos habían tenido el privilegio de contar
con un cadáver que honrar, que despedir, que recordar.
Mientras que ahora, cuando la desaparición de personas se ha reducido a los adolescentes que se escapan de
su casa, al secuestro, a la trata, no menos terrible, no
menos grave para sus familiares, pero sin duda reduci-
da a un número más pequeño, menos cotidiano, ahora su hija Natalia ha desaparecido. ¿Qué siente Esmé?
¿Qué siente como un ladrillo en la mitad del pecho,
presionando, acotando los latidos de su corazón? ¿Qué
es eso que le impide llorar, eso que se superpone y se
entreteje con el amor y el dolor y el horror?

Entonces, de golpe, entiende, se da cuenta de lo que
está sintiendo, y la comprensión cae sobre ella como el
torbellino de una ola que rompe y que la arrastra, que
le raspa la piel contra la arena del fondo, que la sumerge
en la asfixia y la hace dudar, pero sólo por un momento, de que alguna vez va a poder volver a meter y sacar
el aire de los pulmones.

Lo que siente es alivio, un gran alivio de que su hija
no esté, y mucho, mucho miedo de que vuelva. Ahora
sí el amor, el dolor y el horror se expanden en su pecho
y Esmé, por fin, puede llorar.

ÍNDICE

emecé